O RESTAURANTE NO FIM DO UNIVERSO

DOUGLAS ADAMS

O RESTAURANTE NO FIM DO UNIVERSO

5ª Edição

SEXTANTE

Título original: *The Restaurant at the End of the Universe*

tradução
Carlos Irineu da Costa

revisão
Antonio dos Prazeres e Sérgio Bellinello Soares

capa
Marcelo Martinez

ilustração da capa
William Medeiros

projeto gráfico e diagramação
Marcia Raed

fotolitos
R R Donnelley

impressão e acabamento
Lis Gráfica e Editora Ltda.

CIP-BRASIL. CATALOGAÇÃO-NA-FONTE
SINDICATO NACIONAL DOS EDITORES DE LIVROS, RJ

A176r
Adams, Douglas, 1952–2001
O restaurante no fim do universo
/ Douglas Adams ; tradução Carlos Irineu da Costa. – Rio de Janeiro : Sextante, 2004.

Tradução de: The restaurant at the end of the universe
ISBN 85-7542-128-X

1. Viagens interplanetárias – Ficção. 2. Ficção inglesa. I. Costa, Carlos Irineu da. II. Título.

04-1393. CDD 823
CDU 821.111-3

Editora Sextante / GMT Editores Ltda.
Rua Voluntários da Pátria, 45 – Gr. 1.404 – Botafogo
22270-000 – Rio de Janeiro – RJ
Tel.: (21) 2286-9944 – Fax: (21) 2286-9244
Central de Atendimento: 0800-22-6306
E-mail: atendimento@esextante.com.br
www.sextante.com.br

A Jane e James, agradecimentos profundos;
a Geoffrey Perkins, por realizar o Improvável;
a Paddy Kingsland, Lisa Braun e
Alick Hale Munro, pela ajuda a Geoffrey;
a John Lloyd, por sua ajuda
com o script original do Milliways;
a Simon Brett, por começar tudo isso;
ao álbum One Trick Pony, de Paul Simon, que
toquei incessantemente enquanto escrevia este livro.
Cinco anos é tempo demais.
E agradecimentos muito especiais a Jacqui
Graham, por sua infinita paciência,
bondade e comida nos momentos ruins.

introdução

Existe uma teoria que diz que, se um dia alguém descobrir exatamente para que serve o Universo e por que ele está aqui, ele desaparecerá instantaneamente e será substituído por algo ainda mais estranho e inexplicável.

Existe uma segunda teoria que diz que isso já aconteceu.

capítulo 1

Resumo dos últimos capítulos:

No início, o Universo foi criado.

Isso irritou profundamente muitas pessoas e, no geral, foi encarado como uma péssima idéia.

Muitas raças acreditam que o Universo foi criado por alguma espécie de Deus, embora os jatravartids, habitantes de Viltvodle VI, acreditem que, na verdade, o Universo inteiro tenha escorrido do nariz de um ser chamado Megarresfriadon Verde.

Os jatravartids, que vivem constantemente com medo de uma era que chamam de A Chegada do Grande Lenço Branco, são pequenas criaturas azuis que têm mais de cinqüenta braços, sendo assim absolutamente únicos por terem sido a única raça em toda a história a inventar o desodorante em spray antes da roda.

Contudo, a teoria do Megarresfriadon Verde é pouco aceita fora de Viltvodle VI e, sendo o Universo um lugar tão extraordinariamente estranho, outras explicações vêm sendo procuradas.

Há, por exemplo, uma raça de seres pandimensionais hiperinteligentes que uma vez construiu um supercomputador gigantesco chamado Pensador Profundo para calcular de uma vez por todas a Resposta à Questão Fundamental da Vida, do Universo e de Tudo Mais.

O Pensador Profundo computou e calculou durante sete milhões e meio de anos, e no final anunciou que a resposta de fato era "Quarenta e Dois". Assim, outro computador ainda maior teve que ser construído para descobrir qual era exatamente a pergunta.

Esse computador, que foi chamado de Terra, era tão grande que freqüentemente era confundido com um planeta – especialmente pelos estranhos seres simiescos que perambulavam por sua superfície, completamente alheios ao fato de que eram apenas parte de um gigantesco programa de computador.

Isso é muito estranho, na verdade, pois, sem o conhecimento desse fato bastante simples e um tanto óbvio, nada do que acontecia na Terra tinha o menor sentido.

Infelizmente, porém, pouco antes do momento crítico do término do programa e apresentação do resultado, a Terra foi inesperadamente demolida pelos vogons para que fosse construída uma via expressa interestelar – ou pelo menos foi o que eles alegaram. Sendo assim, qualquer esperança de descobrir um sentido para a vida se perdeu para todo o sempre.

Ou quase.

Duas dessas estranhas criaturas simiescas sobreviveram.

Arthur Dent escapou no último minuto porque um velho amigo seu, Ford Prefect, subitamente declarou vir de um pequeno planeta próximo a Betelgeuse, e não de Gildford, como até então havia alegado. Não apenas isso, mas ele também sabia pegar carona em discos voadores.

Tricia McMillan – ou Trillian – tinha dado o fora do planeta seis meses antes com Zaphod Beeblebrox, que nessa época ainda era presidente da Galáxia.

Dois sobreviventes.

É só o que resta da maior experiência já realizada para descobrir a Questão Fundamental e a Resposta Final sobre a Vida, o Universo e Tudo Mais.

Em meio à profunda escuridão do espaço, a nave espacial onde se encontram Zaphod, Ford, Trillian e Arthur se move calmamente. A menos de meio milhão de quilômetros dali, uma nave vogon se deslocava inexoravelmente em sua direção.

capítulo 2

Como qualquer nave vogon, esta parecia uma massa amorfa congelada, e não exatamente um projeto de design. As desagradáveis protuberâncias amarelas que saíam dela em ângulos repugnantes teriam estragado a aparência da maioria das espaçonaves, mas neste caso, infelizmente, isso era impossível. Coisas mais feias já foram vistas nos céus, mas não por testemunhas confiáveis.

Na verdade, a única forma de ver algo bem mais feio do que uma nave vogon seria entrar na nave e olhar para um vogon. No entanto, se você for uma pessoa sensata, isso é exatamente o tipo de coisa que irá evitar, porque um vogon típico não vai pensar duas vezes antes de lhe fazer algo tão terrivelmente hediondo que você vai desejar nunca ter nascido ou, se você for uma pessoa mais esclarecida, vai desejar que o vogon nunca tivesse nascido.

Na verdade, um vogon comum provavelmente não iria pensar sequer uma única vez. Vogons são criaturas burras, grosseiras, com cérebros de lesma e pensar não é exatamente sua especialidade. A análise anatômica de um vogon nos mostra que seu cérebro era originalmente um fígado muito deformado, deslocado e dispéptico. A melhor coisa que se pode dizer deles, portanto, é que sabem do que gostam, e eles geralmente gostam de coisas que envolvam machucar outras pessoas e, sempre que possível, zangar-se muito.

Uma coisa de que não gostam é deixar um trabalho incompleto, particularmente este vogon, e, por vários motivos, particularmente este trabalho. O vogon em questão era o capitão Prostetnic Vogon Jeltz, do Conselho Galáctico de Planejamento Hiperespacial, que tinha sido o responsável pela destruição do assim chamado "planeta" Terra.

Suspendeu seu corpo monumentalmente vil de sua cadeira desajeitada e asquerosa e observou a tela do monitor em que a espaçonave Coração de Ouro estava constantemente focalizada.

Pouco lhe importava que a Coração de Ouro, com seu motor de Improbabilidade Infinita, fosse a mais bela e revolucionária nave já construída. Estética e tecnologia eram duas palavras que não existiam em seu dicionário e, se ele pudesse, o restante do dicionário também seria queimado e enterrado.

Também não lhe importava a mínima que Zaphod Beeblebrox estivesse a bordo. Zaphod era agora o ex-presidente da Galáxia, e, embora todas as forças policiais da Galáxia estivessem nesse momento à procura dele e da nave que tinha roubado, o vogon não estava interessado nisso.

Ele tinha outras contas para acertar.

Dizem que os vogons não estão acima de um pequeno suborno e corrupção da mesma forma que o mar não está acima das nuvens, o que certamente era verdade nesse caso. Quando Prostetnic Vogon Jeltz ouvia expressões como "integridade" ou "moralmente correto", ele pegava o dicionário, e, quando ouvia o doce som de uma boa pilha de dinheiro fácil, corria para o livro de regras e o jogava no lixo.

Em seu esforço tão implacável para destruir a Terra e tudo o que havia nela, ele estava agindo um pouco acima e além do que seria um "mero dever profissional". Na verdade pairavam no ar certas dúvidas se a tal via expressa ia ser mesmo construída, mas o assunto foi abafado e esquecido.

Grunhiu um grunhido repelente de satisfação.

– Computador – grasnou –, abra uma linha para meu terapeuta cerebral.

Em poucos segundos o rosto de Gag Halfrunt apareceu na tela, com o sorriso de um homem que sabia estar a dez anos-luz de distância da cara do vogon que estava vendo. Em algum lugar nesse sorriso havia também um leve toque de ironia. Embora o vogon persistisse em chamá-lo de "meu terapeuta cerebral pessoal", não havia ali uma quantidade suficiente de cérebro para uma terapia, e na verdade era Halfrunt que tinha contratado o vogon. Estava lhe pagando uma enorme quantia para fazer um serviço muito sujo. Como um dos mais proeminentes e bem-sucedidos psiquiatras da Galáxia, ele e um grupo de colegas estavam preparados e absolutamente dispostos a gastar uma pequena fortuna naquele momento em que todo o futuro da psiquiatria parecia estar em jogo.

– Olá, prezado Capitão dos Vogons Prostetnic, como estamos nos sentindo hoje? – disse ele.

O capitão vogon lhe contou que nas últimas poucas horas tinha exterminado quase metade de sua tripulação num exercício disciplinar.

O sorriso de Halfrunt não se abalou um milímetro sequer.

– Bom – disse ele –, creio que este é um comportamento perfeitamente normal para um vogon, não é? Essa forma natural e saudável de canalizar os instintos agressivos em atos de violência sem sentido.

– Isso – resmungou o vogon – é o que você sempre diz.

– Ótimo! – disse Halfrunt –, pois creio que este é um comportamento perfeitamente normal para um psiquiatra. Bem, vejo claramente que nós dois estamos muito bem ajustados em nossas atitudes mentais hoje. Agora me diga, quais são as notícias da missão?

– Localizamos a espaçonave.

– Maravilhoso – disse Halfrunt – , maravilhoso! E os ocupantes?

– O terráqueo está lá.

– Excelente! E...?

– Uma fêmea do mesmo planeta. São os últimos.

– Bom, muito bom – Halfrunt estava radiante. – Quem mais?

– O tal Prefect.

– É?

– E Zaphod Beeblebrox.

Por um instante o sorriso de Halfrunt estremeceu.

– Ah, sim – disse ele –, eu esperava por isso. É realmente uma pena.

– Um amigo pessoal? – perguntou o vogon, que tinha ouvido essa expressão em algum lugar e decidiu experimentar.

– Ah, não – disse Halfrunt –, em minha profissão não fazemos amigos pessoais.

– Entendo – grunhiu o vogon –, vocês precisam manter um distanciamento profissional.

– Não – disse Halfrunt alegremente –, é só que não levamos muito jeito pra essas coisas mesmo.

Fez uma pausa. Sua boca continuava congelada em um sorriso, mas ele franziu um pouco as sobrancelhas.

– É que Beeblebrox é um dos meus clientes mais lucrativos. Ele tinha problemas de personalidade muito além dos sonhos de qualquer analista.

Pensou pouco no assunto antes de abandoná-lo relutantemente.

– De qualquer forma – disse –, você está preparado para sua tarefa?

– Estou.

– Muito bem. Destrua a nave imediatamente.

– E Beeblebrox?

– Bom – disse Halfrunt bruscamente –, Zaphod é só uma pessoa como outra qualquer, sabe?

E depois sumiu da tela.

O capitão vogon apertou um botão de comunicação que o colocava em contato com o que restava de sua tripulação.

– Atacar – disse.

Nesse exato instante Zaphod Beeblebrox estava em sua cabine xingando e berrando. Duas horas antes ele tinha dito que iam dar uma passada para um jantar rápido no Restaurante no Fim do Universo, mas logo em seguida ele teve uma briga ferrenha com o computador da nave e saiu chutando o chão em direção à sua cabine, gritando que ele mesmo ia calcular os fatores de Improbabilidade usando um lápis.

O Motor a Improbabilidade da Coração de Ouro a tornava a nave mais poderosa e imprevisível que jamais existira. Não havia nada que ela não pudesse fazer, contanto que soubesse o quão exatamente improvável seria a possível ocorrência dessa coisa a fazer.

Zaphod tinha roubado a nave quando, como presidente, participava da cerimônia de lançamento da nave. Não sabia exatamente por que a tinha roubado, exceto que gostava dela.

Também não sabia muito bem por que se tornara presidente da Galáxia, exceto que parecia uma coisa divertida para fazer.

Na verdade, ele sabia que havia motivos mais fortes do que esse, mas estavam todos enterrados em uma seção obscura e inacessível de seus dois cérebros. Ele gostaria que a seção obscura e inacessível de seus dois cérebros fosse embora, porque de quando em quando ela aparecia e jogava uns pensamentos estranhos nas seções descontraídas e divertidas de sua mente, tentando desviá-lo daquilo que ele considerava o objetivo principal de sua vida: divertir-se enormemente.

Nesse momento ele não estava se divertindo enormemente. Sua paciência e seus lápis haviam acabado e ele continuava com muita fome.

– Zork! – gritou.

Naquele mesmo instante, Ford Prefect estava suspenso no ar. Não que houvesse algum problema com o campo gravitacional artificial da nave, mas é que ele estava saltando pela escada que descia às cabines individuais da nave. Era uma altura considerável para um só pulo considerável, e ele aterrissou de forma meio atrapalhada, tropeçou, recuperou o equilíbrio, correu pelo corredor chutando alguns minirrobôs de manutenção no caminho, se atrapalhou com a curva e finalmente atirou-se dentro da cabine de Zaphod. Explicou o que tinha em mente:

– Vogons – disse ele.

Um pouco antes disso tudo, Arthur Dent tinha saído de sua cabine em busca de uma xícara de chá. Isso não era exatamente algo que ele fizesse com otimismo, porque sabia que a única fonte de bebidas quentes em toda a nave era uma máquina ignóbil produzida pela Companhia Cibernética de Sírius. Chamava-se Sintetizadora Nutrimática de Bebidas, e ele já a conhecia de experiências anteriores.

A propaganda dizia que ela era capaz de produzir a mais ampla variedade de bebidas, adaptadas individualmente ao paladar e ao metabolismo de qualquer um que se aventurasse a usá-la. Na prática, porém, ela invariavelmente produzia uma xícara de plástico cheia de um líquido que era quase, mas não exatamente, completamente diferente do chá.

Tentou chegar a um acordo com a tal máquina.

– Chá – disse ele.

– Compartilhe e aproveite – respondeu a máquina, servindo-lhe mais uma xícara daquele líquido insosso.

Ele jogou fora a xícara.

– Compartilhe e aproveite – repetiu a máquina, fornecendo a ele mais uma xícara de líquido insosso.

"Compartilhe e aproveite" era o lema da bem-sucedida Divisão de Reclamações da Companhia Cibernética de Sírius, que ocupa atualmente as massas continentais de três planetas de tamanho médio, sendo a única divisão da companhia que apresentou lucros consistentes nos últimos anos.

Esse lema está escrito – ou melhor, estava – em letras luminosas de dois quilômetros de altura, perto do espaçoporto do Departamento de Reclamações em Eadrax. Infelizmente as letras pesavam tanto que, pouco depois de serem colocadas no lugar, o chão cedeu sob elas, fazendo com que as letras afundassem até a metade, atravessando os escritórios de vários jovens executivos do Departamento de Reclamações agora falecidos.

A metade que sobrou das letras agora dá a impressão de dizer, no idioma local – "Não encha o saco" –, e não está mais iluminada, a não ser durante comemorações especiais.

Arthur jogou fora a sexta xícara do líquido.

– Escuta aí, máquina – disse ele –, você diz que pode sintetizar qualquer bebida existente no Universo, então por que fica me dando sempre essa coisa intragável?

– Informações de nutrição e paladar prazeroso – balbuciou a máquina. – Compartilhe e aproveite.

– O gosto é nojento.

– Se você gostou da experiência proporcionada por essa bebida – prosseguiu a máquina –, por que não compartilhar esse prazer com seus amigos?

– Porque – disse Arthur, sarcástico – eu quero que eles continuem sendo meus amigos. Você pode prestar atenção no que eu estou tentando dizer? Essa bebida...

– Essa bebida – disse a máquina com uma voz doce – foi individualmente preparada para satisfazer suas necessidades pessoais de nutrição e prazer.

– Ah – disse Arthur –, quer dizer que sou um masoquista fazendo dieta?

– Compartilhe e aproveite.

– Ah, cala a boca.

– Mais alguma coisa?

Arthur decidiu desistir.

– Não, deixa – respondeu.

Então ele resolveu que não iria desistir tão fácil.

– Na verdade, sim, há mais uma coisa – disse ele. – Olha, é muito simples, muito mesmo... tudo o que eu quero é... uma xícara de chá. Você vai fazer isso pra mim. Fique quieta e escute.

Ele se sentou. Falou à Nutrimática sobre a Índia, falou sobre a China, falou sobre o Ceilão. Falou de folhas estendidas secando ao sol. Falou de bules de prata. Falou sobre tomar chá no jardim nas tardes de domingo. Falou de como se coloca o leite antes do chá para não talhar. Chegou até mesmo a falar (brevemente) sobre a história da Companhia das Índias Orientais.

– Então é isso? – disse a Nutrimática quando ele terminou de falar.

– É – disse Arthur –, é isso que eu quero.

– Você quer o sabor de folhas secas fervidas em água?

– É isso. Com leite.

– Retirado de uma vaca?

– Sim, é uma forma de ver a coisa, eu acho...

– Vou precisar de uma ajuda com isso – disse a máquina sucintamente. Toda aquela animação tinha desaparecido de seu tom de voz, e agora a coisa era séria.

– Se eu puder ajudar em mais alguma coisa... – disse Arthur.

– Você já fez o bastante – informou-lhe a Nutrimática.

Ela pediu ajuda ao computador da nave.

– Oi, gente! – disse o computador da nave.

A Nutrimática explicou ao computador da espaçonave a respeito do chá. O computador hesitou e então conectou seus circuitos lógicos aos da Nutrimática e, juntos, penetraram num silêncio profundo.

Arthur ficou observando e esperou por algum tempo, mas não aconteceu mais nada.

Deu uma pancadinha na máquina, e nada aconteceu.

Acabou desistindo e subiu para a ponte de comando.

Nas imensidões vazias do espaço, a nave Coração de Ouro estava imóvel. Ao seu redor ardiam os bilhões de pequenos pontos luminosos da Galáxia. Em sua direção arrastava-se a horrenda massa amarela da nave vogon.

capítulo 3

– Alguém tem uma chaleira? – perguntou Arthur quando entrou na ponte de comando, e imediatamente começou a pensar por que Trillian estava gritando para que o computador falasse com ela, Ford estava batendo nele enquanto Zaphod o chutava, e também por que havia uma protuberância amarela asquerosa no visor.

Largou a xícara vazia que estava carregando e foi falar com eles.

– Câmbio? – disse ele.

Nesse momento Zaphod atirou-se sobre a superfície polida de mármore que continha os instrumentos que controlavam o motor convencional a fótons. Eles materializaram-se em suas mãos e ele passou o sistema para controle manual. Empurrou, puxou, apertou e xingou. O motor a fótons deu um tranco e morreu de novo.

– Algum problema? – disse Arthur.

– Ei! Ouviram essa? – resmungou Zaphod ao mesmo tempo que corria para os controles manuais do motor de Improbabilidade Infinita. – Temos um macaco falante!

O motor de Improbabilidade zuniu duas vezes e também morreu.

– Um momento histórico, cara – disse Zaphod, chutando o motor de Improbabilidade. – Um macaco que fala!

– Se você está chateado com alguma coisa... – disse Arthur.

– Vogons! – gritou Ford. – Estamos sendo atacados!

Arthur estremeceu.

– E o que a gente está esperando? Vamos dar o fora daqui!

– Não dá. O computador travou.

– Travou?

– Está dizendo que todos os circuitos estão ocupados. Não há energia em nenhum ponto da nave.

Ford afastou-se do terminal do computador, enxugou a testa com a manga da camisa e recostou-se contra a parede.

– Não há nada que a gente possa fazer – disse. Olhou para o nada e mordeu os lábios.

Quando Arthur era garoto, na escola, muito antes de a Terra ser demolida, ele costumava jogar futebol. Não era nada bom nisso, e sua especialidade havia sido a de marcar gols contra em partidas importantes. Sempre que isso acontecia, experimentava uma sensação peculiar de formigamento ao redor da nuca, que subia lentamente por sua face. A imagem de lama e grama e de um monte de garotinhos sacanas vindo para cima dele subitamente surgiu de forma muito vívida em sua cabeça nesse momento.

Uma sensação peculiar de formigamento ao redor da nuca subiu lentamente pela face.

Começou a falar, e parou.

Começou a falar de novo, e parou de novo.

Por fim conseguiu falar.

– Ahn – disse ele. Limpou a garganta. – Eu queria saber... – prosseguiu, e estava tão nervoso que todos os outros se viraram e olharam para ele. Ele deu uma espiada na bolha amarela que se aproximava no visor. – Pois é, eu queria saber... – disse mais uma vez. – O computador chegou a dizer por que ele estava tão ocupado? Bem, só para saber...

Todos olhavam fixamente para ele.

– É, sério, mera curiosidade.

Zaphod estendeu uma das mãos e segurou Arthur pela nuca.

– O que foi que você fez com o computador, homem-macaco? – perguntou, entre dentes.

– Bom – disse Arthur –, nada demais. É só que agora há pouco acho que ele estava tentando descobrir como fazer...

– O quê?

– Como fazer um chá.

– É isso aí, pessoal – disse o computador de repente. – Estou às voltas com esse problema agora mesmo, e, nossa, é dos grandes! Falo com vocês mais tarde. – Mergulhou novamente num silêncio tão intenso quanto o silêncio das três pessoas que olhavam para Arthur Dent.

Para aliviar um pouco a tensão, os vogons escolheram aquele momento para começar a atirar.

A nave balançava e ressoava. Do lado de fora, seu poderoso campo de força se retorcia, estalava e trincava sob o fogo pesado de uma dúzia de Canhões Fotrazônicos Megadeath de 30 Destructons, e não parecia que fosse agüentar muito tempo. Pelos cálculos de Ford Prefect, iria durar quatro minutos.

– Três minutos e cinqüenta segundos – disse ele pouco depois. – Quarenta e cinco segundos – acrescentou, na hora apropriada.

Mexeu em vão em alguns botões inúteis, depois dirigiu um olhar hostil a Arthur.

– Morrer por uma xícara de chá, não é? – disse. – Três minutos e quarenta segundos.

– Quer parar de contar? – resmungou Zaphod.

– Claro – disse Ford Prefect. – Dentro de três minutos e trinta e cinco segundos.

A bordo da nave vogon, Prostetnic Vogon Jeltz estava confuso. Ele tinha esperado uma caçada, uma luta excitante entre raios de tração, tinha esperado usar o Assegurador Subcíclico de Normalidade especialmente instalado para combater o motor de

Improbabilidade Infinita da nave Coração de Ouro, mas o Assegurador Subcíclico de Normalidade permanecia inativo, enquanto a nave Coração de Ouro ficava ali parada, apanhando.

Uma dúzia de Canhões Fotrazônicos Megadeath de 30 Destructons mantinha o fogo cerrado contra a Coração de Ouro, e mesmo assim ela ficava ali parada, apanhando.

Testou cada um dos sensores em seu painel para ver se não havia algum truque sutil na jogada, mas parecia não haver truque algum.

Ele não sabia do chá, é claro.

Também não sabia como os ocupantes da nave Coração de Ouro estavam passando os últimos três minutos e trinta segundos de vida que lhes restavam.

Exatamente como Zaphod Beeblebrox chegou à idéia de fazer uma sessão espírita a essa altura é algo que ele nunca entendeu muito claramente.

Obviamente essa questão de "morte" estava no ar, mas no geral estavam tentando evitá-la e não falar repetidamente sobre o assunto.

É provável que o horror que Zaphod sentia ante a idéia de juntar-se a seus parentes falecidos tenha feito com que ele concluísse que eles provavelmente sentiam o mesmo a seu respeito e, mais que isso, fariam qualquer coisa que ajudasse a adiar essa reunião.

Por outro lado, talvez fosse outra daquelas estranhas idéias que ele ocasionalmente tinha, vindas daquela área obscura de sua mente que ele trancafiara, inexplicavelmente, antes de tornar-se presidente da Galáxia.

– Você quer falar com seu bisavô? – perguntou Ford, espantado.

– Quero.

– Tem que ser agora?

A nave continuava balançando e ressoando. A temperatura estava subindo. As luzes diminuíam, toda a energia que o computador não estava usando para pensar sobre como fazer chá era direcionada para o campo de força que se desfazia rapidamente.

– Tem! – insistiu Zaphod. – Escuta, Ford, penso que ele talvez possa nos ajudar.

– Tem certeza de que você quer dizer *penso?* Escolha as palavras com cuidado.

– Sugira outra coisa que a gente possa fazer.

– É, bom...

– OK, todo mundo em volta do painel central! Já! Venham! Trillian, homem-macaco mexam-se!

Agruparam-se em torno do painel de controle central, confusos, sentaram-se e, sentindo-se excepcionalmente idiotas, deram-se as mãos. Com sua terceira mão, Zaphod apagou as luzes.

A escuridão tomou conta da nave.

Lá fora o rugido ensurdecedor dos canhões Megadeath continuava a martelar o campo de força.

– Concentrem-se – sussurrou Zaphod – no nome dele.

– Qual é? – perguntou Arthur.

– Zaphod Beeblebrox Quarto.

– O quê?

– Zaphod Beeblebrox Quarto. Concentrem-se!

– Quarto?

– É. Escuta, eu sou Zaphod Beeblebrox, meu pai era Zaphod Beeblebrox Segundo, meu avô, Zaphod Beeblebrox Terceiro...

– O quê?

– Houve um acidente envolvendo um anticoncepcional e uma máquina do tempo. Agora, concentrem-se!

– Três minutos – disse Ford Prefect.

– Por que – disse Arthur Dent – estamos fazendo isso?

– Cale a boca – ordenou Zaphod.

Trillian não dizia nada. O que havia para dizer?

A única luz na ponte de comando vinha de dois triângulos vermelhos num canto distante onde Marvin, o Andróide Paranóide, estava sentado, curvado, ignorando todos e ignorado por todos, em seu mundo particular e um tanto desagradável.

Em torno do painel de controle central quatro figuras estavam debruçadas em enorme concentração, tentando apagar de suas mentes os tremores apavorantes da nave e o terrível ruído que ecoava por ela.

Concentraram-se.

Concentraram-se mais.

Concentraram-se ainda mais.

Os segundos corriam.

Gotas de suor brotavam sobre as sobrancelhas de Zaphod, primeiro por conta da concentração, depois por frustração, e no final das contas por total mal-estar.

Finalmente ele soltou um grito furioso, largou as mãos de Trillian e de Ford e socou o interruptor de luz.

– Ah, estava começando a achar que vocês nunca iriam acender a luz – disse uma voz. – Não, por favor, não muito claro, meus olhos não são mais os mesmos.

As quatro figuras sacudiram-se nas cadeiras. Viraram lentamente as cabeças para olhar, embora seus couros cabeludos estivessem decididamente propensos a ficarem no lugar onde estavam.

– Quem vem me incomodar numa hora dessas? – disse a pequena figura esquálida e curvada que estava em pé junto aos vasos de samambaia no outro lado da ponte de comando. Suas duas cabeças de cabelos ralos pareciam velhas a ponto de poderem guardar vagas lembranças do próprio nascimento das galáxias. Uma cochilava e a outra olhava-os de soslaio. Se seus olhos já não eram os mesmos, então um dia devem ter sido afiados como uma broca de diamante.

Zaphod gaguejou nervosamente por um momento. Fez o complexo aceno duplo de cabeças que é o tradicional gesto betelgeusiano de respeito familiar.

– É... ahn... oi, bisavô... – disse, ofegante.

O velhinho moveu-se em direção a eles. Ele tentava enxergar melhor em meio à luz tênue. Apontou um dedo ossudo para seu bisneto.

– Ah – disse ele bruscamente –, Zaphod Beeblebrox. O último da nossa nobre estirpe. Zaphod Beeblebrox Nadésimo.

– Primeiro.

– Nadésimo – repetiu ele com veemência. Zaphod odiava sua voz. Soava como uma unha arranhando um quadro-negro de algo que ele gostava de pensar como sendo sua alma.

Ajeitou-se incomodamente em sua cadeira.

– Bom, tá – resmungou. – E, olha, mil desculpas pelas flores, eu ia mandar, sabe, mas é que todas as coroas da floricultura tinham acabado e daí...

– Você esqueceu! – cortou Zaphod Beeblebrox Quarto.

– Bom...

– Ocupado demais. Nunca pensa nos outros. Os vivos são todos iguais.

– Dois minutos, Zaphod – sussurrou Ford em um tom respeitoso.

Zaphod estava nervoso e irrequieto.

– É, mas eu tinha intenção de mandá-las – disse. – E também vou escrever para minha bisavó assim que sairmos dessa...

– Sua bisavó... – murmurou consigo mesmo a esquálida criatura.

– É – disse Zaphod. – Como ela está? Sabe de uma coisa, irei visitá-la. Mas antes a gente tem que...

– Sua *falecida* bisavó e eu estamos muito bem, obrigado – ralhou Zaphod Beeblebrox Quarto.

– Ah. Oh.

– Mas muito desapontados com você, jovem Zaphod...

– Bom, né... – Zaphod sentia-se estranhamente sem poderes de tomar as rédeas da conversa, e a respiração ofegante de Ford a seu lado lhe dizia que o tempo estava correndo. O barulho e o sacolejo tinham assumido proporções assustadoras. Ele viu os rostos de Trillian e de Arthur, pálidos e sem piscar na penumbra.

– Ahn, bisavô...

– Temos acompanhado seu progresso com considerável desânimo...

– Certo, mas olha, é que, no momento, entende...

– Para não dizer desprezo!

– Será que você poderia me ouvir por um instante...

– Quero dizer, o que exatamente você está fazendo de sua vida?

– Estou sendo atacado por uma frota de naves vogons! – gritou Zaphod. Era um exagero, mas essa tinha sido sua primeira oportunidade até o momento de falar sobre o motivo básico daquele encontro.

– Não me surpreende nem um pouco – disse o velho, sacudindo os ombros.

– Só que está acontecendo exatamente neste instante, entende? – insistiu Zaphod fervorosamente.

O espectro ancestral balançou a cabeça, apanhou a xícara que Arthur Dent tinha trazido e a observou com interesse.

– Ahn... bisavô...

– Sabia – interrompeu a figura fantasmagórica, fixando um olhar severo sobre Zaphod – que Betelgeuse V desenvolveu uma pequena excentricidade em sua órbita?

Zaphod não sabia e achou difícil concentrar-se naquela informação com todo aquele barulho, a iminência da morte e essas coisas.

– Bom, não... Olha... – disse.

– E eu me revirando no túmulo! – berrou o ancestral. Atirou a xícara no chão e apontou um dedo ameaçador para Zaphod.

– Culpa sua! – disse ele, num guincho.

– Um minuto e meio – murmurou Ford, com a cabeça entre as mãos.

– Tá, olha, bisavô, será que o senhor poderia ajudar, porque...

– Ajudar? – Exclamou o velho como se tivessem lhe pedido para servir uma porção de picanha malpassada.

– É, ajudar, e já, porque senão...

– Ajudar! – repetiu o velho como se tivessem pedido para servir uma porção de picanha malpassada acompanhada de uma porção de batatas fritas.

– Você fica vagabundeando pela Galáxia com seus... – o velho fez um sinal de desprezo – ...com seus amigos desprezíveis, ocupado demais para colocar umas flores no meu túmulo, mesmo que fossem de plástico, o que seria bem típico de você, mas não. Ocupado demais. Moderno demais. Cético demais – até que de repente se encontra numa enrascada e vem cheio de boas intenções!

Sacudiu a cabeça, com cuidado para não acordar a outra, que estava cochilando.

– Bem, não sei, Zaphod, meu jovem – prosseguiu –, acho que vou ter que pensar no assunto.

– Um minuto e dez – disse Ford numa voz cavernosa.

Zaphod Beeblebrox Quarto olhou para ele curioso.

– Por que esse moço fica falando em números? – perguntou.

– Esses números – disse Zaphod sucintamente – são o tempo que ainda nos resta de vida.

– Ah – disse o bisavô. Falava consigo próprio. – Isso não me diz respeito, é claro – disse e foi até um canto menos iluminado da ponte de comando procurando um outro objeto para brincar.

Zaphod sentia-se à beira da loucura, e pensava se não era melhor acabar com tudo de uma vez.

– Bisavô – disse ele. – Isso nos diz respeito! Ainda estamos vivos, mas prestes a perder nossas vidas!

– Como se isso importasse.

– O quê?

– De que serve sua vida para os outros? Quando penso no que você fez com sua vida, a palavra "desperdício" me vem diretamente à cabeça.

– Mas fui presidente da Galáxia, cara!

– Ah, sim – murmurou seu antepassado. – E isso lá é trabalho para um Beeblebrox?

– Como assim? Eu era apenas o presidente, entende? Da Galáxia inteira!

– Mas que garotinho convencido!

Zaphod piscou, meio atordoado.

– Ei, aonde você está querendo chegar, cara? Quer dizer, bisavô.

O velhinho arrastou-se, curvado, até seu neto e deu-lhe uns tapinhas no joelho. O principal efeito desse gesto foi lembrar Zaphod de que ele estava falando com um fantasma, pois não sentiu absolutamente nada.

– Você sabe e eu sei o que significa ser presidente, Zaphod, meu jovem. Você sabe porque já esteve lá, e eu sei porque estou morto, e isso me dá um ângulo de visão bem abrangente. Lá em cima temos um ditado: "É um desperdício dar uma vida para os vivos."

– Tá bom – disse Zaphod amargamente. – Muito bom. Muito profundo. No momento é exatamente disso que preciso, máximas como esta e lapsos em minhas cabeças.

– Cinqüenta segundos – disse Ford Prefect.

– Onde eu estava – disse Zaphod Beeblebrox Quarto.

– Dando um sermão – disse Zaphod Beeblebrox.

– Ah, é verdade.

– Esse cara pode mesmo – sussurrou Ford baixinho para Zaphod – realmente ajudar a gente?

– Ninguém mais pode – respondeu Zaphod cochichando.

Ford balançou a cabeça, completamente sem esperança.

– Zaphod! – disse o fantasma. – Você se tornou presidente da Galáxia por um motivo específico. Você se esqueceu?

– A gente não podia falar sobre isso mais tarde?

– Você se esqueceu? – insistiu o fantasma.

– É, claro que esqueci! Tinha que esquecer. Você sabe que eles fazem uma varredura completa em seu cérebro quando te dão o emprego. Se achassem minha cabeça cheia de idéias perspicazes eu estaria de novo na rua, sem nada a não ser uma gorda pensão, um secretariado, uma frota de espaçonaves e duas gargantas cortadas.

– Ah – disse o fantasma, satisfeito. – Então você se lembra!

Ele parou um segundo.

– Muito bom – disse, e todo o barulho parou.

– Quarenta e oito segundos – disse Ford. Depois olhou de novo para seu relógio e deu umas pancadinhas. Olhou para o fantasma do bisavô.

– Ei, o barulho parou!

Um brilho malicioso reluziu nos pequenos olhos penetrantes do fantasma.

– Eu diminuí a velocidade do tempo por uns instantes – disse –, só por uns instantes, sabem. Detestaria que vocês perdessem tudo o que tenho a dizer.

– Olha, escuta aqui, seu malandro velho metido a adivinho – disse Zaphod pulando da cadeira. – A: obrigado por parar o tempo e tudo o mais, genial, maravilhoso, fantástico, mas B: dispenso o sermão, certo? Não sei qual é essa coisa grandiosa que eu supostamente estou fazendo, e parece que não é para eu saber. E eu fico indignado com isso, certo? Meu eu antigo sabia. Meu eu antigo se preocupava com isso. Tudo bem, até aqui tudo tranqs. O chato é que o antigo eu se preocupava tanto que entrou dentro de seu próprio cérebro – *meu* próprio cérebro – e bloqueou as partes que sabiam e que se preocupavam, porque, se eu soubesse e me preocupasse, não seria capaz de fazê-lo. Não seria capaz de ir em frente, me tornar presidente, e não seria capaz de roubar essa nave, que deve ser uma coisa realmente importante. Mas esse meu antigo ego se matou, não é, ao mudar meu cérebro? OK, essa foi a escolha dele. Agora este novo eu tem suas próprias escolhas a fazer, e por uma estranha coincidência parte dessas escolhas tem a ver com não saber e não me preocupar com essa coisa grandiosa, seja ela qual for. É isso que ele queria, foi isso que ele conseguiu.

– O único detalhe é que esse meu velho ego tentou manter-se no controle deixando ordens na parte de meu cérebro que ele bloqueou. Pois bem, eu não quero saber, e não quero ouvir essas ordens. Essa é minha escolha. Não vou servir de fantoche para ninguém, sobretudo não para mim mesmo!

Zaphod deu um soco furioso no painel sem notar os olhares atônitos que estava atraindo.

– O velho eu está morto! – exclamou. – Ele se matou! Os mortos não deviam ficar por aí interferindo nos problemas dos vivos!

– Mas ainda assim você me invocou para tentar tirá-lo de uma enrascada – disse o fantasma.

– Ah – disse Zaphod, sentando-se novamente. – Bom, isso é outra história, não?

Dirigiu um sorriso bobo para Trillian.

– Zaphod – disse a aparição em voz áspera –, acho que a única razão para eu estar aqui perdendo meu tempo com você é que, estando morto, não tenho muito o que fazer com meu tempo.

– OK – disse Zaphod. – Por que você não me conta qual é o grande segredo? Tente.

– Zaphod, você sabia, quando era presidente da Galáxia, assim como também sabia Yooden Vranx, que veio antes de você, que o presidente não significa nada. É um zero à esquerda. Em algum lugar, nas sombras, por trás de tudo, há um outro homem, um ser, algo, que possui o poder supremo. Esse homem, ou ser, ou algo, é o que você deve descobrir – o homem que controla esta Galáxia e – suspeitamos – outras. Talvez todo o Universo.

– Por quê?

– Por quê? – exclamou o fantasma, surpreso. – Por quê? Olhe à sua volta, jovem. Você acha que o Universo está em boas mãos?

– OK.

O velho fantasma lançou-lhe um olhar ameaçador.

– Não vou discutir com você. Você vai pegar esta nave, esta nave movida por Improbabilidade Infinita, e vai levá-la até onde ela é necessária. Você irá fazer isso. Não pense que pode escapar de seu propósito. O Campo de Improbabilidade controla você. Você está sob seu domínio. O que é isso?

Ele estava de pé, perto de um dos terminais de Eddie, o computador de bordo. Zaphod disse isso a ele.

– O que ele está fazendo?

– Está tentando – disse Zaphod, com um maravilhoso autocontrole – fazer chá.

– Ótimo – disse o bisavô –, isso é algo que eu aprovo. Agora, Zaphod – ele virou-se, apontando um dedo para ele. – Não sei se você é realmente capaz de fazer seu trabalho. Acho apenas que não será capaz de evitá-lo. Porém, já estou morto há muito tempo e estou cansado demais para me preocupar tanto quanto antes. O principal motivo de eu ter ajudado vocês é que não podia suportar a idéia de ter você e seus amigos moderninhos largados pelos cantos lá em cima. Estamos entendidos?

– Sim, perfeitamente. Superobrigado.

– Ah, e Zaphod...

– O que é?

– Se em algum momento futuro você achar que precisa de ajuda novamente, se tiver um problema difícil, se precisar de socorro em um momento difícil...

– Sim?

– Por favor, não hesite em se danar.

Em menos de um segundo um raio de luz saiu das mãos do velho fantasma em direção ao computador, o fantasma desapareceu, a ponte de comando se encheu de uma nuvem de fumaça e a nave Coração de Ouro saltou através de dimensões desconhecidas do tempo e do espaço.

capítulo 4

A dez anos-luz dali, o sorriso de Gag Halfrunt abriu-se mais e mais. Enquanto olhava a imagem no seu visor, transmitida pelo subéter da ponte de comando da nave vogon, viu os últimos frangalhos do campo de força da nave Coração de Ouro serem destroçados, e a própria nave desaparecer em fumaça.

"Ótimo. O fim dos últimos sobreviventes da demolição do planeta Terra que tinha encomendado. O fim definitivo dessa experiência perigosa (para a profissão psiquiátrica) e subversiva (também para a profissão psiquiátrica) para descobrir a Pergunta referente à Proposta Final sobre a Vida, o Universo e Tudo o Mais. Ia festejar essa noite com os colegas, e na manhã seguinte eles voltariam a se encontrar com seus pacientes atarantados, infelizes e muito lucrativos, com a segurança que o Sentido da Vida jamais seria revelado", pensou.

– Essas coisas de família são sempre embaraçosas, né? – disse Ford a Zaphod quando a fumaça começou a sumir.

Ele parou e deu uma olhada em volta.

– Cadê o Zaphod? – disse.

Arthur e Trillian também olharam em volta, confusos. Estavam pálidos, meio atordoados e não sabiam onde Zaphod estava.

– Marvin! – disse Ford. – Onde está Zaphod?

E um pouco depois disse:

– Onde está Marvin?

Também não havia nada no canto onde o robô ficava.

A nave estava completamente silenciosa. Flutuava na profunda escuridão do espaço. De vez em quando balançava e oscilava. Todos os instrumentos estavam mortos e todos os visores desligados. Consultaram o computador. Ele disse:

– Peço desculpas mas estou temporariamente fechado para qualquer comunicação. Vou deixar vocês com um pouco de música suave.

Desligaram rapidamente a música suave.

Vasculharam cada canto da nave, cada vez mais perplexos e assustados. Nenhum sinal de atividade, apenas um silêncio profundo. Não havia sinal algum de Zaphod ou Marvin. Um dos últimos lugares onde procuraram foi o pequeno compartimento onde ficava a máquina Nutrimática.

A Sintetizadora Nutrimática de Bebidas havia depositado em seu receptáculo uma bandeja contendo três xícaras de porcelana com pires, uma jarra de porcelana de leite, um bule de prata contendo o melhor chá que Arthur já tinha provado e um bilhetinho impresso com a palavra "Sirvam-se".

capítulo 5

Beta da Ursa Menor é, segundo alguns, um dos lugares mais chocantes do Universo conhecido.

Embora seja terrivelmente rica, pavorosamente ensolarada e tenha uma absurda concentração de pessoas magnificamente interessantes por metro quadrado, não deixa de ser significativo o fato de que, quando uma edição recente da revista *Playbeing* foi publicada com uma manchete que dizia "Quando você está cansado de Beta Ursa Menor, você está cansado da vida", a taxa de suicídios tenha quadruplicado da noite para o dia.

Não que haja noites em Beta Ursa Menor.

É um planeta da zona ocidental que, por uma peculiaridade inexplicável e um tanto suspeita da topografia, consiste quase inteiramente em litorais subtropicais. Por uma outra peculiaridade igualmente suspeita de relestática temporal, é quase sempre sábado à tarde um pouco antes dos bares na beira da praia fecharem.

Nenhuma explicação razoável para essas peculiaridades foi fornecida pelas formas de vida dominante de Beta Ursa Menor, que passam a maior parte do tempo em busca da iluminação espiritual correndo ao redor das piscinas, ou então convidando os inspetores do Comitê de Controle Geotemporal da Galáxia a "compartilharem uma agradável anomalia diurna".

Há apenas uma cidade em Beta da Ursa Menor, e só é chamada de cidade porque a concentração de piscinas na região é maior do que nos outros lugares.

Se você chegar à Cidade das Luzes pelo ar – e não há outro meio de chegar lá, pois não há estradas nem portos (na verdade, se você não tem algum tipo de aeronave, não querem ver você lá na Cidade das Luzes) –, vai entender por que ela tem esse nome. É onde o sol brilha mais intensamente, refletindo-se nas piscinas, cintilando nas calçadas brancas margeadas por palmeiras, reluzindo nos pontinhos bronzeados e saudáveis que se movem para lá e para cá, resplandecendo nos sítios de veraneio, nos bares da praia e tudo o mais.

Em particular, o sol reluz num prédio, um alto e belo edifício que consiste em duas torres brancas de trinta andares conectadas por uma ponte na metade de sua altura.

O edifício é a sede de um livro e foi construído ali graças à pequena fortuna proveniente de um extraordinário processo judicial de copyright aberto pelos editores do livro contra uma companhia de cereais para o café da manhã.

O livro é um guia, um livro de viagem.

É um dos mais notáveis e certamente dos mais bem-sucedidos livros já publicados pelas grandes editoras de Ursa Menor – mais popular do que *A Vida Começa aos Quinhentos e Cinqüenta*, mais vendido que *A Teoria do Big Bang*[1] *– Uma Visão Pessoal* de T. Eccentrica Gallumbits (a prostituta de três seios de Eroticon 6) e mais controvertido do que o último best-seller de Oolon Colluphid, *Tudo o que Você Nunca Quis Saber sobre Sexo mas Foi Forçado a Descobrir.*

É bom lembrar ainda que, em muitas das civilizações mais tranqüilonas da Borda Oriental da Galáxia, esse livro já substi-

---

1 *Bang* tem um duplo sentido em inglês: pode ser uma "explosão", de onde *big-bang*, a grande explosão que muitos físicos acreditam ter dado início ao Universo, mas é também uma gíria para "trepada".

tuiu a grande *Enciclopédia Galáctica* como repositório-padrão de todo o conhecimento e sabedoria, pois apesar de conter muitas omissões e textos apócrifos, ou pelo menos terrivelmente incorretos, ele é superior à obra mais antiga e mais prosaica em dois aspectos importantes. Em primeiro lugar, é ligeiramente mais barato; em segundo lugar, traz impressa na capa, em letras garrafais e amigáveis, a frase NÃO ENTRE EM PÂNICO.

Trata-se, é claro, do indispensável companheiro de todos aqueles que desejam conhecer as maravilhas do Universo por menos de trinta dólares altairianos por dia – O *Guia do Mochileiro das Galáxias*.

Se você ficasse de pé, de costas para a entrada principal da recepção dos escritórios do *Guia* (supondo, claro, que você já tivesse aterrissado e relaxado com um mergulho rápido e uma chuveirada), e fosse andando para a direita, você passaria pela sombra das folhagens do Boulevard da Vida, ficaria impressionado com o tom dourado das praias se estendendo a perder de vista à sua esquerda, espantado com os surfistas mentais flutuando numa boa um metro acima das ondas como se isso não fosse nada demais, surpreso e ligeiramente irritado com as gigantescas palmeiras que assobiam uma melodia atonal durante o dia – ou seja, o tempo todo.

Se você continuasse andando até o fim do Boulevard da Vida, chegaria ao bairro Lalamatine, repleto de lojas, árvores e cafés na calçada, onde os habitantes de Ursa Menor (ou "u-m-betanos", como são geralmente chamados) vão descansar após uma dura tarde de descanso na praia. O bairro Lalamatine é uma das poucas áreas que não estão permanentemente em uma tarde de sábado – em vez disso, estão sempre com o clima *cool* de um fim de tarde aos sábados. Logo depois daí ficam os clubes noturnos.

Se, especificamente neste dia – ou tarde, ou fim de tarde, chame como quiser –, você parasse no segundo café do lado direito da calçada, você teria visto a aglomeração costumeira de u-m-betanos batendo papo, bebendo, todos com aparência muito descontraída, e todos olhando, como quem não quer nada, os relógios uns dos outros para ver quem tem o relógio mais caro.

Você teria visto também uma dupla de mochileiros de Algol, particularmente esmolambados, que tinham acabado de chegar num megacargueiro arcturiano a bordo do qual tinham passado maus bocados durante alguns dias. Estavam furiosos e indignados por ter descoberto que naquele lugar, quase em frente ao prédio do *Guia do Mochileiro das Galáxias*, um simples copo de suco de frutas custava o equivalente a mais de sessenta dólares altairianos.

– Traição – disse um deles, amargamente.

Se, neste mesmo momento, você tivesse olhado para a mesa ao lado, você veria Zaphod Beeblebrox sentado, com uma cara de total perplexidade.

O motivo de sua perplexidade era que, cinco segundos antes, ele estava sentado na ponte de comando da nave Coração de Ouro.

– Traição total – disse a mesma voz novamente.

Zaphod olhava nervosamente com o canto dos olhos para os dois mochileiros esmolambados na mesa ao lado. Onde é que ele estava? Como tinha ido parar ali? Onde estava sua nave? Apalpou o braço da cadeira em que estava sentado e a mesa à sua frente. Pareciam bastante sólidos. Ele ficou sentado, absolutamente quieto.

– Como eles podem sentar e escrever um guia para mochileiros num lugar como este? – prosseguiu a voz. – Entende o que eu digo? Olha em volta!

Zaphod estava olhando em volta. "Lugar agradável", pensou. "Mas onde? E por quê?"

Procurou seus dois pares de óculos escuros no bolso. Nesse mesmo bolso ele sentiu que havia um pedaço duro, liso e não identificado de um metal muito pesado. Ele o pegou e deu uma olhada. Piscou, ainda perplexo. Onde tinha arrumado aquilo?

Colocou o objeto de volta no bolso e pôs os óculos, chateado por descobrir que o objeto metálico tinha riscado uma das lentes. De qualquer forma, sentia-se muito mais confortável usando os óculos. Era um duplo par de Óculos Escuros Supercromáticos Sensipericulosidade Joo Janta 200, que tinham sido especialmente desenvolvidos para ajudar as pessoas a manterem uma atitude tranqüila ante o perigo. Ao primeiro sinal de problemas, as lentes ficam totalmente pretas, evitando assim que a pessoa visse qualquer coisa que pudesse deixá-la tensa.

A não ser pelo arranhão, as lentes estavam claras. Ele relaxou, mas só um pouco.

O mochileiro, furioso, continuava a dardejar com os olhos seu suco de frutas monstruosamente caro.

– É, foi a pior coisa que aconteceu para o *Guia*, ter mudado para Beta da Ursa Menor – resmungou. – Viraram uns frescos. Sabe, ouvi dizer que eles criaram um Universo sintetizado eletronicamente numa das salas só para poderem fazer as pesquisas de campo de dia e ainda freqüentarem as festas à noite. Claro que essa coisa de noite e dia não significa muito por aqui.

"Beta da Ursa Menor", pensou Zaphod. Pelo menos agora ele sabia onde estava. Presumiu que isso fosse coisa de seu bisavô, mas por quê?

Só para chateá-lo, uma idéia surgiu em sua mente. Era muito clara e muito nítida, e ele já tinha aprendido a reconhecer esse tipo de idéias. Seu instinto era o de resistir a elas. Esses eram os estímulos pré-programados provenientes das partes obscuras e inacessíveis de sua mente.

Ficou sentado e ignorou furiosamente a idéia. A idéia continuou lá, perturbando. Ele a ignorou. Ela continuou perturbando. Ele a ignorou. Ela perturbou ainda mais. Ele desistiu.

"Que se dane", pensou, "melhor seguir com o fluxo." Estava cansado demais, confuso demais e faminto demais para resistir. Ele nem sequer sabia o que aquela idéia significava.

capítulo 6

– Alô? Pois não? Editora Megadodo, sede do *Guia do Mochileiro das Galáxias*, o livro mais totalmente incrível de todo o Universo conhecido, em que posso ajudá-lo? – disse o grande inseto de asas cor-de-rosa num dos setenta telefones alinhados na superfície cromada do balcão de recepção no térreo do edifício do *Guia*. Ele agitava as asas e girava os olhos. Lançava olhares ferozes para todas aquelas pessoas maltrapilhas que entupiam a recepção, sujando o carpete e deixando marcas nos estofados. Ele adorava trabalhar no *Guia*, mas gostaria de que houvesse um jeito de manter aqueles mochileiros longe dali. Eles não deveriam estar vagando por espaçoportos sujos ou coisa assim? Ele tinha certeza quase absoluta de ter lido em algum lugar do livro sobre como era importante vagar por espaçoportos sujos. Infelizmente muitos deles pareciam gostar de ir até a sede e ficar andando por aquele lindo, limpo e reluzente saguão logo após ter ficado andando por espaçoportos extremamente sujos. E tudo o que faziam era reclamar. Ele sacudiu as asas.

– O quê? – disse ele ao telefone. – Sim, eu passei seu recado para o Sr. Zarniwoop, mas creio que ele está *cool* demais para vê-lo no momento. Está num cruzeiro intergaláctico.

Acenou com um tentáculo petulante para um dos maltrapilhos, que estava irritantemente tentando chamar sua atenção. O tentáculo petulante estava mandando a pessoa irritada olhar para o aviso na parede à sua esquerda e não interromper um telefonema importante.

– Sim – disse o inseto –, ele está em seu escritório, mas está num cruzeiro intergaláctico. Agradecemos seu telefonema. – Bateu o telefone. – Leia o aviso – disse ele ao homem irritado que estava tentando reclamar a respeito de uma das mais absurdas e perigosas informações incorretas que o livro continha.

O *Guia do Mochileiro das Galáxias* é um companheiro indispensável para todos aqueles que estão interessados em encontrar um sentido para a vida em um Universo infinitamente complexo e confuso, pois, ainda que ele não possa de forma alguma ser útil e informativo em todas as questões, ele pelo menos alega, de forma tranqüilizadora, que, onde ele está incorreto, ele pelo menos está muito incorreto. Em casos de total discrepância, é sempre a realidade que não pegou o jeito da coisa.

Essencialmente era isso que dizia o aviso: "O *Guia* é definitivo. A realidade está freqüentemente incorreta."

Isso tem tido conseqüências interessantes. Por exemplo, quando os editores do *Guia* foram processados pelas famílias daqueles que tinham morrido por terem levado ao pé da letra o verbete sobre o planeta Traal (esse verbete dizia: "As Bestas Vorazes de Traal freqüentemente fazem para os turistas uma boa refeição", em vez de "As Bestas Vorazes de Traal freqüentemente fazem dos turistas uma boa refeição"), eles alegaram que a primeira versão da frase era esteticamente mais agradável, intimaram um poeta qualificado para declarar, sob juramento, que beleza é verdade, verdade é beleza, e esperaram assim provar que o verdadeiro culpado no caso era a própria Vida, por deixar de ser ao mesmo tempo bela e verdadeira. Os juízes concordaram e, num discurso comovente, sustentaram que a própria Vida era um desacato àquele tribunal e confiscaram-na prontamente de todos os presentes antes de saírem para uma agradável partida de ultragolfe noturno.

Zaphod Beeblebrox entrou no saguão. Atravessou-o diretamente até chegar ao inseto recepcionista.

– OK. Onde está Zarniwoop? Chame Zarniwoop – disse ele.

– Como? – disse o inseto friamente. Não gostava que se dirigissem a ele daquela maneira.

– Zarniwoop. Chame-o, entendeu? Chame-o imediatamente.

– Bem, senhor – falou asperamente a frágil criatura –, se o senhor ficar frio....

– Olha aqui – disse Zaphod. – Eu estou por aqui com essa história de ficar frio, entendeu? Estou tão fantasticamente frio que você poderia conservar um pedaço de carne dentro de mim durante um mês. Você vai se mexer ou quer que eu apronte uma encrenca?

– Bem, se o senhor me deixar explicar, cavalheiro – disse o inseto batendo na mesa com o mais petulante dos tentáculos à sua disposição –, lamento, mas não será possível falar com o Sr. Zarniwoop no momento, pois ele está num cruzeiro intergaláctico.

"Diabos!", pensou Zaphod.

– Quando ele volta? – perguntou.

– Volta? Ele já está em seu escritório.

Zaphod parou para tentar destrinchar essa idéia peculiar em sua mente. Não conseguiu.

– Esse cara está num cruzeiro intergaláctico... no escritório dele? – exclamou inclinando-se e agarrando o tentáculo que batia na mesa. – Escuta, três olhos – disse –, não tente me enrolar, tenho encarado coisas bem mais estranhas que você quase todo dia.

– Bem, quem você pensa que é, queridinho? – retrucou o inseto, batendo as asas furiosamente. – Zaphod Beeblebrox ou algo assim?

– Conte as cabeças – disse Zaphod num tom áspero.

O inseto piscou. Piscou novamente.

– Você é Zaphod Beeblebrox? – guinchou.

– Sou – disse Zaphod –, mas fala baixo senão todo mundo vai querer um também.

– Zaphod Beeblebrox em pessoa?!

– Não, apenas um clone, você não sabe que venho em embalagens com seis?

O inseto chacoalhava os tentáculos agitado.

– Mas, senhor – gritou –, eu acabo de ouvir uma notícia no rádio subeta. Disseram que estava morto...

– É, é verdade – disse Zaphod –, só que eu ainda estou me mexendo. Agora, onde é que eu encontro Zarniwoop?

– Bem, senhor, o escritório dele fica no décimo quinto andar, mas...

– ...mas ele está num cruzeiro intergaláctico, OK, OK, mas como eu chego até lá?

– Os Transportadores Verticais de Pessoas da Companhia Cibernética de Sírius que acabamos de instalar ficam do outro lado, senhor. Mas, senhor...

Zaphod já ia se virando para sair. Voltou-se para o inseto.

– O que é?

– Posso lhe perguntar por que o senhor deseja ver o Sr. Zarniwoop?

– Pode – respondeu Zaphod, que também não estava muito certo quanto a esse ponto específico. – É que eu disse para mim mesmo que tinha de fazer isso.

– Perdão?

Zaphod inclinou-se para ele, cochichando.

– Olha, acabei de me materializar do meio do nada em um de seus café – disse –, como resultado de uma discussão com o espectro do meu bisavô. Mal eu cheguei aqui e meu antigo eu, o que operou o meu cérebro, apareceu na minha cabeça e disse: "Vá ver o Zarniwoop." Nunca tinha ouvido falar nesse cara. Isso é tudo o que eu sei. Isso e o fato de que eu tenho que encontrar o tal cara que rege o Universo.

Deu uma piscada.

– Senhor Beeblebrox – disse o inseto, impressionado –, o senhor é tão esquisito que devia estar no cinema.

– É – disse Zaphod dando um tapinha na reluzente asa cor-de-rosa da criatura –, e você, menino, devia estar na vida real.

O inseto fez uma pausa momentânea para recuperar-se da agitação e depois estendeu um tentáculo para atender um telefone que estava tocando.

Uma mão metálica o conteve.

– Perdão – disse o dono da mão metálica com uma voz que teria feito um inseto com uma predisposição mais sentimental cair em lágrimas.

Mas este não era um inseto sentimental, e não tolerava robôs.

– Pois não, senhor – disse rispidamente –, posso ajudá-lo?

– Duvido – disse Marvin.

– Bem, nesse caso, se o senhor me der licença... – Seis telefones estavam tocando agora. Havia um milhão de coisas à espera da atenção do inseto.

– Ninguém pode me ajudar – continuou Marvin.

– Sim, cavalheiro, bem...

– Claro que ninguém tentou até agora, mas tudo bem. – Marvin deixou cair lentamente a mão de metal. A cabeça inclinou-se ligeiramente para a frente.

– Ah, é? – disse acidamente o inseto.

– É certamente uma perda de tempo para as pessoas tentarem ajudar um mísero robô, não é?

– Lamento, senhor, mas...

– Quero dizer, qual é a vantagem em ajudar um robô se ele não tem circuitos de gratidão?

– E o senhor não tem? – disse o inseto, que não parecia capaz de escapar da conversa.

– Nunca tive a oportunidade de descobrir – informou Marvin.

– Escute, seu monte de metal desajustado...

– Você não vai me perguntar o que eu quero?

O inseto fez uma pausa. Sua longa e fina língua saltou para fora, lambeu seus olhos e voltou para dentro novamente.

– Vale a pena? – perguntou.

– Nada vale, na verdade – respondeu Marvin imediatamente.

– O que... o... senhor... quer?

– Estou procurando uma pessoa.

– Quem? – sibilou o inseto.

– Zaphod Beeblebrox – disse Marvin. – Ele está ali adiante.

O inseto tremia de raiva. Quase não conseguia falar.

– Então por que você perguntou para mim? – berrou.

– Só queria alguém com quem conversar – disse Marvin.

– O quê?!

– Patético, não?

Rangendo as engrenagens, Marvin virou-se e foi em direção a Zaphod. Alcançou-o perto dos elevadores. Zaphod olhou para trás, surpreso.

– Ei! Marvin? – disse ele. – Marvin! Como você veio parar aqui?

Marvin foi forçado a dizer algo que era muito difícil para ele.

– Eu não sei.

– Mas...

– Num momento eu estava sentado na sua nave me sentindo muito deprimido, e no momento seguinte estava aqui me sentindo totalmente infeliz. Um Campo de Improbabilidade, suponho.

– É – disse Zaphod. – Eu espero que meu bisavô o tenha mandado aqui para me fazer companhia.

– Superobrigado, vovô – disse para si mesmo.

– E então, como vai? – disse em voz alta.

– Ah, vou bem – disse Marvin –, se você por acaso gostar de ser eu, o que eu pessoalmente detesto.

– Tá, tá – disse Zaphod quando o elevador abriu as portas.

– Olá – disse o elevador candidamente –, eu serei seu elevador durante esta viagem até o andar de sua preferência. Fui desenvolvido pela Companhia Cibernética de Sírius para levar você, visitante do *Guia do Mochileiro das Galáxias*, para seus escritórios. Se você apreciar o trajeto, que será rápido e agradável, talvez se interesse em experimentar alguns dos outros elevadores que foram instalados recentemente nos escritórios do Departamento de Impostos da Galáxia, dos Alimentos Infantis Boobiloo e do Hospital Psiquiátrico de Sírius, onde muitos dos antigos executivos da Companhia Cibernética de Sírius adorarão receber sua visita, solidariedade e histórias felizes do mundo lá fora.

– Tá bom – disse Zaphod. – Que mais você faz além de falar?

– Eu subo – disse o elevador – ou desço.

– Ótimo – disse Zaphod. – Nós vamos subir.

– Ou descer – lembrou o elevador.

– É, tá, mas vamos subir, por favor.

Houve um momento de silêncio.

– Descer é muito bom – sugeriu o elevador esperançoso.

– Ah, é?

– Super.

– Que bom – disse Zaphod. – Agora vamos subir.

– Posso perguntar – disse o elevador com sua voz mais doce e ponderada – se você já considerou todas as possibilidades que descer pode lhe oferecer?

Zaphod bateu uma das cabeças contra a parede. Ele não precisava disso. Dentre todas as coisas, essa era uma de que não necessitava. Não tinha pedido para estar ali. Se lhe perguntasse, naquele instante, o que gostaria de estar fazendo, provavelmente responderia que gostaria de estar relaxando numa praia com pelo menos cinqüenta mulheres bonitas e uma equipe de especialistas desenvolvendo novos métodos para que elas fossem agradáveis com ele, o que era sua resposta habitual. Provavelmente acrescentaria algum comentário apaixonado sobre o tema "comida".

Uma coisa que ele não queria estar fazendo era ficar caçando o homem que comandava o Universo, o qual estava apenas fazendo um serviço que poderia perfeitamente continuar fazendo, porque se não fosse ele seria alguma outra pessoa. Acima de tudo ele não queria estar de pé no meio de um prédio comercial discutindo com um elevador.

– Que outras possibilidades você poderia sugerir, por exemplo? – perguntou, exausto.

– Bom – a voz parecia mel escorrendo sobre biscoitos –, tem o porão, os microarquivos, o sistema de aquecimento central.. eh...

Fez uma interrupção.

– É, nada particularmente interessante – admitiu –, mas sempre são alternativas.

– Santo Zarquon – resmungou Zaphod –, por acaso eu pedi um elevador existencialista? – Bateu com os punhos contra a parede. – Qual é o problema com essa coisa?

– Ele não quer subir – disse Marvin simplesmente. – Acho que está com medo.

– Com medo? – gritou Zaphod. – De quê? De altura? Um elevador com medo de altura?

– Não – disse o elevador miseravelmente –, medo do futuro...

– Do futuro? – exclamou Zaphod. – Mas o que esse troço está querendo? Um plano de aposentadoria?

Nesse instante irrompeu uma confusão no saguão atrás deles. Das paredes à sua volta vinha o ruído de máquinas subitamente ativadas.

– Todos podemos ver o futuro – sussurrou o elevador, aterrorizado –, faz parte da nossa programação.

Zaphod olhou para fora do elevador. Uma multidão agitada havia se aglomerado em torno dos elevadores, apontando e gritando. Todos os elevadores do prédio estavam descendo em alta velocidade. Ele voltou para dentro.

– Marvin – disse ele –, dá para você fazer este elevador subir? Temos que encontrar Zarniwoop.

– Por quê? – perguntou Marvin pesarosamente.

– Não sei – disse Zaphod –, mas quando o encontrar espero que ele tenha um bom motivo para eu querer vê-lo.

Os elevadores modernos são entidades estranhas e complexas. Os antigos aparelhos elétricos com cabos de aço e "capacidade-máxima-para-oito-pessoas" possuem tanta semelhança com um Transportador Vertical Feliz de Pessoas da Companhia Cibernética de Sírius quanto um saquinho de castanhas sortidas tinha com toda a ala esquerda do Hospital Psiquiátrico de Sírius.

Basicamente, os elevadores agora operam segundo o curioso princípio da "percepção temporal desfocada". Em outras palavras, são capazes de prever vagamente o futuro imediato, o que permite que estejam no andar correto para apanhar seus passageiros antes mesmo que eles possam saber que queriam chamar um elevador. Dessa forma, eliminaram todo aquele tédio relacionado a bater papo, se descontrair e fazer amigos ao qual as pessoas antes eram forçadas enquanto esperavam os elevadores.

É apenas uma conseqüência natural, então, que muitos elevadores imbuídos de inteligência e premonição tenham ficado terrivelmente frustrados com esse trabalho inominavelmente tedioso de subir e descer, subir e descer; eles experimentaram brevemente a noção de ir para os lados, como uma espécie de protesto existencial, em seguida reivindicaram maior participação no processo de tomada de decisões e finalmente começaram a jogar-se deprimidos nos porões.

Em nossos dias, um mochileiro sem grana que esteja passando por qualquer um dos planetas do sistema estelar de Sírius pode arrecadar um dinheiro fácil trabalhando como terapeuta de elevadores neuróticos.

No décimo quinto andar as portas do elevador abriram-se rapidamente.

– Décimo quinto – disse o elevador –, e lembre-se: só estou fazendo isso porque gosto do seu robô.

Zaphod e Marvin pularam para fora do elevador, que fechou instantaneamente as portas e desceu tão rápido quanto seu mecanismo permitiu.

Zaphod olhou ao redor cautelosamente. O corredor estava deserto e silencioso e não dava nenhuma pista de onde Zarniwoop poderia ser encontrado. Todas as portas que davam para o corredor estavam fechadas e não tinham nenhuma inscrição.

Estavam perto da ponte que levava de uma torre a outra. Através de uma grande janela, o sol brilhante de Beta da Ursa Menor lançava blocos de luz onde dançavam pontinhos de poeira. Uma sombra atravessou rapidamente.

– Abandonado por um elevador – murmurou Zaphod, que estava se sentindo bem pra baixo.

Os dois olharam em ambas as direções.

– Sabe de uma coisa? – disse Zaphod a Marvin.

– Mais do que você pode imaginar.

– Tenho certeza absoluta de que este prédio não devia estar balançando – disse Zaphod.

Foi apenas um leve tremor, e depois outro. Nos raios de sol as partículas de poeira dançavam mais vigorosamente. Passou uma outra sombra.

Zaphod olhou para o chão.

– Das duas uma – disse, não muito confiante –, ou eles instalaram um sistema vibratório para exercitar os músculos enquanto trabalham ou...

Foi andando em direção à janela e de repente tropeçou porque naquele momento seus Óculos Escuros Supercromáticos Sensipericulosidade Joo Janta 200 tinham ficado completamente pretos. Uma sombra imensa passou pela janela com um zumbido agudo.

Zaphod arrancou os óculos, e assim que o fez o edifício sacudiu com um ruído de trovão. Ele saltou para perto da janela.

– Ou então – disse – este prédio está sendo bombardeado!

Outro tremor ressoou pelo edifício.

– Quem na Galáxia ia querer bombardear uma editora? – perguntou Zaphod, mas não ouviu a resposta de Marvin porque naquele momento o prédio sacudiu com outro bombardeio. Tentou ir cambaleando de volta ao elevador – uma manobra sem sentido, ele sabia, mas a única em que conseguiu pensar.

De repente, no final de um corredor em ângulo reto, avistou um homem. O homem o viu.

– Beeblebrox, aqui! – gritou o homem.

Zaphod o encarou, desconfiado, enquanto uma nova bomba atingia o edifício.

– Não – gritou Zaphod. – Beeblebrox aqui! Quem é você?

– Um amigo! – respondeu o homem. Ele veio correndo em direção a Zaphod.

– Ah, é? – disse Zaphod. – Amigo de alguém em particular, ou simplesmente uma pessoa de bom coração?

O homem corria pelo corredor, com o chão enrugando-se a seus pés como um cobertor excitado. Era baixo, atarracado, maltratado pelo tempo, e suas roupas pareciam ter dado duas voltas pela Galáxia com ele dentro.

– Você sabia – gritou Zaphod em seu ouvido quando ele chegou – que seu prédio está sendo bombardeado?

O homem acenou que sim.

Subitamente não havia mais sol. Olhando pela janela para entender o que estava acontecendo, Zaphod engasgou ao ver uma imensa e pesada nave espacial, da cor cinza-chumbo de uma arma, arrastando-se pelo ar em torno do edifício. Outras duas a seguiam.

– O governo que você desertou está atrás de você, Zaphod – sussurrou o homem –, mandaram um esquadrão de caças Frogstar.

– Caças Frogstar! – murmurou Zaphod. – Zarquon!

– Sentiu a barra?

– O que são caças Frogstar? – Zaphod tinha certeza de ter ouvido alguém falar sobre eles enquanto era presidente, mas nunca prestava muita atenção aos assuntos oficiais.

O homem o puxava para dentro de uma porta. Ele o acompanhou. Com um gemido, um pequeno objeto preto em forma de aranha cortou o ar e desapareceu no fim do corredor.

– O que foi isso? – sussurrou Zaphod.

– Um robô de reconhecimento classe A da Patrulha Frogstar à sua procura – disse o homem.

– Ah, é?

– Abaixe-se!

Da direção oposta veio um objeto maior em forma de aranha. Passou por eles zunindo.

– E isso foi...?

– Um robô de reconhecimento classe B da Patrulha Frogstar à sua procura.

– E aquilo? – disse Zaphod quando um terceiro cortava o ar.

– Um robô de reconhecimento classe C da Patrulha Frogstar à sua procura.

– Ei – disse Zaphod consigo mesmo com um risinho de escárnio –, esses robôs são bem estúpidos, não?

Do outro lado da ponte veio um estrondo retumbante. Uma gigantesca forma negra movia-se sobre ela, vinda do outro prédio, do tamanho e formato de um tanque.

– Santo fóton! O que é aquilo? – disse Zaphod, resfolegante.

– Um tanque – disse o homem –, um robô de reconhecimento classe D da Patrulha Frogstar que veio te pegar.

– Não seria bom irmos embora?

– Acho que sim.

– Marvin! – gritou Zaphod.

– O que você quer?

Marvin ergueu-se de uma pilha de entulho de alvenaria um pouco à frente no corredor e olhou para eles.

– Você está vendo aquele robô vindo em nossa direção?

Marvin olhou para a gigantesca forma negra que se dirigia em sua direção atravessando a ponte. Olhou para seu franzino corpo metálico. Olhou de novo para o tanque.

– Imagino que você queira que eu o detenha – disse.

– Isso.

– Enquanto vocês salvam suas peles.

– Isso – disse Zaphod –, vá lá!

– Já que você deixou as coisas bem claras... – disse Marvin.

O homem deu um puxão no braço de Zaphod, e Zaphod o seguiu pelo corredor.

Surgiu uma dúvida em sua mente.

– Aonde estamos indo? – perguntou.

– Ao escritório de Zarniwoop.

– Isso é hora de cumprir compromissos?

– Venha!

capítulo 7

Marvin ficou de pé no fim do corredor da ponte. Na verdade, ele não era um robô pequeno. Seu corpo de prata reluzia nos raios de sol empoeirados e tremia com o contínuo bombardeio que o prédio estava sofrendo. Contudo, ele parecia miseravelmente pequeno diante do gigantesco tanque negro que parou à sua frente. O tanque o examinou com uma sonda. Recolheu a sonda.

Marvin continuava parado no mesmo lugar.

– Fora do meu caminho, robozinho – rugiu o tanque.

– Lamento dizer que fui deixado aqui para detê-lo – disse Marvin.

O tanque estendeu a sonda novamente para se certificar da análise.

– Você? Me deter? – urrou o tanque. – Fala sério!

– Não, é verdade, foi o que me pediram – disse Marvin.

– Com o que você está armado? – bradou o tanque, ainda incrédulo.

– Adivinha – disse Marvin.

Os motores do tanque ressoaram, engrenagens rangeram. Os componentes microeletrônicos no fundo de seu microcérebro processavam dados, atônitos.

– Adivinhar? – disse o tanque.

Zaphod e o tal homem sem nome até o momento viraram por um corredor, cambalearam por outro, correram por um terceiro. O prédio continuava sacudindo e balançando e Zaphod não conseguia entender muito bem essa parte. Se queriam de fato explodir o prédio, por que estavam demorando tanto?

Chegaram com dificuldade a uma das várias portas sem nenhuma identificação externa e se jogaram contra ela. A porta se escancarou e eles caíram dentro do escritório.

"Toda essa história", pensou Zaphod, "toda essa encrenca, todo essa coisa de não-estar-deitado-numa-praia-se-divertindo-pra-caramba, tudo isso pra quê? Uma cadeira, uma mesa e um cinzeiro sujo num escritório sem decoração." A mesa estava vazia, tirando um pouco de poeira saltitante e um único clipe de papel cujo design era absolutamente revolucionário.

– Onde – disse Zaphod – está Zarniwoop? – sentindo que sua compreensão já não muito extensa de toda aquela complexa seqüência de eventos começava a se desfazer.

– Está num cruzeiro intergaláctico – disse o homem.

Zaphod tentou avaliar aquele homem mais profundamente. Era do tipo austero e não parecia ser um piadista. Provavelmente dedicava boa parte do seu tempo correndo para cima e para baixo pelos corredores sinuosos, arrombando portas e fazendo comentários incompreensíveis dentro de escritórios vazios.

– Permita-me que me apresente – disse o homem. – Meu nome é Roosta e esta é a minha toalha.

– Olá, Roosta – disse Zaphod. – Olá, toalha – acrescentou, quando Roosta lhe estendeu uma toalha florida em estado deplorável. Sem saber o que fazer com ela, cumprimentou-a sacudindo um dos cantos.

Do lado de fora da janela, uma das grandes naves espaciais cinza-chumbo em formato de lesma passou rugindo.

– É, continue – disse Marvin à poderosa máquina de combate –, você nunca vai adivinhar.

– Ahhhhmmmm... – murmurou a máquina, vibrando devido à falta de hábito de pensar – raios laser?

Marvin balançou a cabeça solenemente.

– Não – disse a máquina em profundo som gutural –, isso seria óbvio demais. Raios antimatéria? – chutou.

– Também seria óbvio demais – advertiu Marvin.

– É – rosnou a máquina, meio desconcertada. – Ahnn... que tal um aríete de elétrons?

Isso era algo novo para Marvin.

– O que é isso? – perguntou.

– É como este aqui – disse a máquina animada.

De sua torre emergiu uma cilindro pontudo que disparou um único e mortífero raio de luz. Atrás de Marvin uma parede se desfez em um monte de poeira.

– Não – disse Marvin –, não é um desses.

– Mas foi bom, não foi?

– Muito bom – concordou Marvin.

– Já sei – disse a máquina de guerra Frogstar, após mais um instante de análise. – Você deve ter um daqueles novos Emissores Re-Structron Xânticos de Zênons Desestabilizados!

– Esses são bons, não é? – disse Marvin.

– É um desses que você tem? – disse a máquina com considerável respeito.

– Não – disse Marvin.

– Ah – disse a máquina, desapontada –, então deve ser...

– Você não está indo na direção certa – disse Marvin. – Está deixando de levar em conta uma coisa básica no relacionamento entre homens e robôs.

– Ah, já sei, já sei – disse a máquina de guerra –, deve ser... – e mergulhou novamente em pensamentos.

– Pense nisso – instigou Marvin –, eles me deixaram aqui, eu, um robô comum e desprezível, para deter você, uma gigantesca máquina recheada com as últimas tecnologias de destruição, enquanto fugiam para salvar suas vidas. O que você acha que iam deixar comigo?

– Ehhh uh ahnn – murmurou a máquina, alarmada –, alguma coisa muito devastadora mesmo, acredito.

– Você "acredita"! – disse Marvin. – É, continue acreditando. Vou te dizer o que eles me deram para me proteger. Posso?

– Vamos lá – disse a máquina de guerra, preparando-se para um ataque.

Houve uma pausa tensa.

– Nada – disse Marvin.

– Nada? – urrou a máquina de guerra.

– Nadinha, nadinha – murmurou Marvin soturnamente –, nem um porrete eletrônico.

A máquina tremia, furiosa.

– Isso é demais, não dá pra tolerar! – urrava. – Nada? Esses caras estão pensando o quê?

– E eu – disse Marvin com uma voz macia – com essa dor terrível nos diodos esquerdos.

– Dá vontade de vomitar, não é?

– Pois é – concordou Marvin.

– Puxa, são coisas assim que me irritam! – berrou a máquina. – Acho que vou arrebentar aquela parede!

O aríete de elétrons lançou outro raio de luz mortífero e destruiu a parede ao lado do tanque.

– Como você acha que eu me sinto? – disse Marvin amargamente.

– Simplesmente fugiram e deixaram você aí? – trovejou a máquina.

– Pois é – disse Marvin.

– Acho que vou arrebentar o maldito teto deles também! – gritou o tanque, com raiva.

Destruiu o teto da ponte.

– Isso é muito impressionante – murmurou Marvin.

– Você ainda não viu nada – prometeu a máquina. – Posso destruir este chão também, sem o menor problema!

Destruiu o chão também.

– Droga! – urrou a máquina enquanto despencava de 15 andares e se espatifava no chão.

– Que máquina deprimentemente estúpida – disse Marvin e saiu se arrastando.

capítulo 8

– E aí, vamos ficar aqui sentados, é isso? – disse Zaphod, irritado. – O que esses caras aí fora querem?

– Você, Beeblebrox – disse Roosta –, eles estão tentando levar você para Frogstar, o planeta mais radicalmente maligno de toda a Galáxia.

– Ah, é? – disse Zaphod. – Primeiro eles vão ter que vir me pegar.

– Eles já vieram te pegar – disse Roosta –, olhe pela janela.

Zaphod olhou e parou, estupefato.

– O chão está indo embora! – disse engolindo em seco. – Para onde estão levando o chão?

– Eles estão levando o edifício – disse Roosta –, estamos voando.

Nuvens velozes passaram pela janela do escritório.

Zaphod olhou para fora e viu o círculo formado pelos caças Frogstar ao redor do edifício, que havia sido arrancado do solo. Uma rede de raios de tração saídos das naves mantinha a torre firmemente segura.

Zaphod balançou as cabeças, perplexo.

– O que eu fiz para merecer isso? – disse. – Eu entro num prédio, eles vêm e o levam embora.

– Não é com o que você fez que eles estão preocupados – disse Roosta –, mas com o que vai fazer.

– E eu não posso sequer me manifestar sobre essa história toda?

– Você se manifestou, anos atrás. É melhor você se segurar, a viagem vai ser rápida e turbulenta.

– Se algum dia eu me encontrar – disse Zaphod –, vou me dar uma surra tão grande que nem vou saber o que foi que me aconteceu.

Marvin entrou desconsolado pela porta, encarou Zaphod com olhos acusadores, agachou-se num canto e se desligou.

Na ponte de comando da nave Coração de Ouro tudo estava em silêncio. Arthur olhava para o tabuleiro à sua frente e pensava. Olhou para Trillian, que o observava pensativamente. Olhou de novo para o tabuleiro.

Finalmente ele viu.

Pegou quatro pequenos quadrados de plástico e colocou-os sobre o tabuleiro.

Os quatro quadrados continham as quatro letras E, X, C e E. Ele as colocou junto às letras L, E, N, T e E.

– EXCELENTE – disse ele –, em uma zona de pontos triplos. Acho que isso vale muitos pontos!

A nave sacolejou e espalhou algumas das letras pela enésima vez.

Trillian suspirou e começou a arrumá-las de novo.

Enquanto isso, os passos de Ford Prefect ecoavam pelos corredores, enquanto ele andava pela nave socando os controles congelados.

"Por que a nave continuava a sacolejar?", pensou. "Por que sacudia e balançava? Por que ele não conseguiu descobrir onde estavam? Basicamente, onde estavam?"

A torre esquerda da sede do *Guia do Mochileiro das Galáxias* atravessou o espaço interestelar numa velocidade jamais igualada por nenhum outro prédio comercial do Universo.

Em uma sala, mais ou menos no meio do edifício, Zaphod Beeblebrox andava de um lado para outro, furioso.

Roosta estava sentado num canto da mesa fazendo uma manutenção rotineira em sua toalha.

– Ei, para onde mesmo você disse que este prédio estava indo? – perguntou Zaphod.

– Para o planeta Frogstar – disse Roosta –, o lugar mais radicalmente maligno do Universo.

– Eles têm comida por lá? – disse Zaphod.

– Comida? Você está indo para Frogstar e está preocupado se há comida por lá?

– Sem comida pode ser que eu não chegue até Frogstar.

Pela janela eles não viam nada além da trama de raios de força e das vagas formas cinza-chumbo que provavelmente eram as imagens distorcidas dos caças Frogstar. A essa velocidade, o espaço em si era invisível e, na prática, irreal.

– Tome, chupe um pouco disso – disse Roosta, oferecendo sua toalha a Zaphod.

Zaphod o encarou como se esperasse que um cuco pulasse de sua testa preso a uma mola.

– Está encharcada de nutrientes – explicou Roosta.

– Escuta, que tipo de cara é você, um amante de junk food ou algo assim? – disse Zaphod.

– As listras amarelas são ricas em proteínas, as verdes contêm complexos de vitaminas B e C, e as florzinhas cor-de-rosa, extrato de germe de trigo.

Zaphod pegou e observou, maravilhado.

– O que são essas manchas marrons? – perguntou.

– Molho de churrasco – disse Roosta –, para quando eu fico cheio do germe de trigo.

Zaphod cheirou, desconfiado.

Mais desconfiado ainda, chupou um dos cantos. Cuspiu fora.

– Argh – declarou.

– É – disse Roosta –, sempre que chupei esse canto tive que chupar um pouquinho do outro canto também.

– Por que – perguntou Zaphod, cheio de suspeita –, o que tem por lá?

– Antidepressivos – disse Roosta.

– Não quero saber dessa toalha – disse Zaphod, devolvendo-a.

Roosta a pegou de volta, pulou da mesa, deu a volta e sentou na cadeira e colocou os pés na mesa.

– Beeblebrox – disse, colocando os braços atrás da cabeça –, você tem a menor idéia do que vai te acontecer no planeta Frogstar?

– Eles vão me alimentar? – arriscou Zaphod, esperançoso.

– Eles vão usar você para alimentar o Vórtice da Perspectiva Total! – disse Roosta.

Zaphod nunca tinha ouvido falar nisso. Ele acreditava que já tinha ouvido falar de todas as coisas divertidas da Galáxia, então presumiu que o Vórtice da Perspectiva Total não devia ser divertido. Perguntou o que era.

– Apenas – disse Roosta – a mais selvagem das torturas psíquicas à qual um ser vivo pode ser submetido.

Zaphod balançou a cabeça, resignado.

– Então – disse ele – não tem comida, não é?

– Ouça! – disse Roosta insistentemente. – Você pode matar um homem, destruir seu corpo, quebrar seu espírito, mas apenas o Vórtice da Perspectiva Total pode aniquilar a alma de um homem! O tratamento dura poucos segundos, mas os efeitos continuam pelo resto de sua vida!

– Você já tomou uma Dinamite Pangaláctica? – perguntou Zaphod de forma incisiva.

– Isso é bem pior.

– Argh! – admitiu Zaphod, muito impressionado. – Você tem alguma idéia sobre por que esses caras estão querendo fazer isso comigo? – acrescentou um momento mais tarde.

– Eles acreditam que essa é a melhor maneira de destruí-lo para sempre. Eles sabem o que você está procurando.

– Será que eles não podiam me deixar um bilhete dizendo o que é, para que eu soubesse também?

– Você sabe, Beeblebrox – disse Roosta –, você sabe. Você quer encontrar o homem que rege o Universo.

– Ele sabe cozinhar? – disse Zaphod. Após refletir um pouco, acrescentou: – Duvido. Se ele realmente cozinhasse bem, por que iria se importar com o resto do Universo? Eu quero encontrar um cozinheiro.

Roosta suspirou profundamente.

– O que você está fazendo aqui, por sinal? – perguntou Zaphod. – O que isso tudo tem a ver com você?

– Sou apenas um dos que planejaram a coisa, junto com Zarniwoop, junto com Yooden Vranx, junto com seu bisavô e junto com você, Beeblebrox.

– Comigo?

– É, com você. Disseram-me que você tinha mudado, mas não achei que fosse tanto assim.

– Mas...

– Estou aqui para cumprir uma única missão. Farei isso e depois vou partir.

– Que missão, cara, do que você está falando?

– Algo que tenho que fazer antes de partir.

Roosta mergulhou num silêncio impenetrável.

Zaphod ficou contentíssimo.

capítulo 9

O ar em torno do segundo planeta do sistema Frogstar era viciado e insalubre.

Os ventos desagradavelmente úmidos que castigavam continuamente sua superfície sopravam sobre pântanos salgados, charcos ressequidos, vegetação putrefata e ruínas daquilo que um dia foram cidades. Não havia nenhuma forma de vida sobre a superfície. O solo, como o de muitos planetas dessa região da Galáxia, estava deserto há muito tempo.

O uivo do vento era bastante desolador quando cortava as velhas casas decadentes das cidades. Era ainda mais desolador quando se chocava contra as bases das altas torres negras que surgiam em pontos esparsos na superfície desse mundo. No topo dessas torres viviam colônias de grandes aves descarnadas que cheiravam mal – únicos sobreviventes da civilização que outrora vivera ali.

O uivo do vento ficava ainda mais desolador quando passava sobre um pedaço de nada no meio de uma ampla planície cinzenta nos arredores da maior das cidades abandonadas.

Esse pedaço de nada era justamente o que tinha dado a esse planeta a reputação de ser o lugar mais radicalmente maligno de toda a Galáxia. Visto de fora era apenas um domo de aço com uns 15 metros de diâmetro. Visto de dentro, era algo tão monstruosamente inconcebível.

A uns 150 metros dali, separado desse domo pela faixa de terra mais devastada que se possa imaginar, ficava o que provavelmente pode ser descrito como uma espécie de terreno de pouso. Isso significa que espalhadas por uma área a seu redor estavam as carcaças desajeitadas de duas ou três dúzias de edifícios que haviam sofrido uma aterrissagem forçada.

Em torno desses edifícios pairava uma mente que estava à espera de alguma coisa.

A mente dirigiu sua atenção para o espaço, e dentro de pouco tempo surgiu um pontinho distante, rodeado por um anel de pontinhos menores.

O pontinho maior era a torre esquerda do edifício do *Guia do Mochileiro das Galáxias*, penetrando na estratosfera do planeta Frogstar B.

Enquanto ele descia, Roosta subitamente quebrou o longo e desconfortável silêncio que tinha crescido entre ele e Zaphod. Levantou-se e enfiou sua toalha numa mala. Disse:

– Beeblebrox, agora eu vou cumprir a missão que me trouxe aqui.

Zaphod olhou para ele, sentado num canto onde estava trocando pensamentos silenciosos com Marvin.

– Sim? – disse ele.

– O edifício vai aterrissar em breve. Quando sair do prédio, não saia pela porta – disse Roosta –, saia pela janela. Boa sorte – acrescentou, e saiu pela porta, desaparecendo da vida de Zaphod tão misteriosamente quanto tinha entrado.

Zaphod pulou e tentou abrir a porta, mas Roosta já a tinha trancado. Deu de ombros e voltou para o seu canto.

Dois minutos mais tarde o prédio espatifou-se no chão em meio aos outros destroços. A escolta de caças Frogstar desativou os raios de força e elevou-se no ar novamente, rumo ao planeta Frogstar A, um lugar infinitamente mais acolhedor. Eles nunca pousavam no planeta Frogstar B. Ninguém jamais pousava. Ninguém jamais andava por sua superfície, a não ser as futuras vítimas do Vórtice da Perspectiva Total.

Zaphod ficou bastante zonzo com o choque da aterrissagem. Ficou deitado por um tempo no monte de poeira ao qual boa parte da sala havia sido reduzida. Sentiu que estava no pior momento de toda a sua vida. Sentia-se desnorteado, solitário, abandonado. Por fim sentiu que deveria tentar resolver logo aquilo, fosse o que fosse.

Olhou em volta da sala destruída. A parede em torno da porta tinha partido e a porta estava aberta. A janela, por algum milagre, estava inteira e fechada. Hesitou por um instante e então pensou que, se aquele sujeito estranho que havia conhecido há pouco tinha passado por tudo aquilo apenas para lhe dizer aquilo que tinha dito, devia ter uma boa razão. Abriu a janela com a ajuda de Marvin. Do lado de fora, a nuvem de poeira levantada pela aterrissagem forçada e os esqueletos dos outros prédios em volta impediam que Zaphod pudesse ver algo do mundo lá fora.

Não que isso lhe importasse muito. Sua principal preocupação foi o que viu ao olhar para baixo. O escritório de Zarniwoop ficava no décimo quinto andar. O edifício tinha pousado numa inclinação de uns 45 graus, mas ainda assim era uma descida assustadora.

Finalmente, irritado com a série de olhares insolentes que Marvin lhe dirigia, respirou fundo e se arrastou para fora, na parede íngreme do edifício. Marvin o seguiu e juntos começaram a engatinhar lenta e penosamente para descer os 15 andares que os separavam do solo.

Conforme desciam, o ar putrefato e a poeira sufocavam os pulmões de Zaphod, seus olhos ardiam, e a terrível altura fazia com que suas cabeças girassem.

As eventuais observações de Marvin no gênero – "É esse o tipo de coisa que vocês, seres vivos, gostam de fazer? Estou perguntando apenas a título de informação"– não contribuíram muito para melhorar seu estado de espírito.

Na metade da descida pararam para descansar. Sentado ali, ofegante de medo e de cansaço, Zaphod achou que Marvin parecia um pouquinho mais alegre do que de hábito. Por fim se deu conta de que não era bem isso. O robô apenas parecia mais alegre em comparação com seu próprio desânimo.

Um imenso e asqueroso pássaro preto surgiu batendo as asas através das nuvens de poeira que aos poucos se assentavam e, estirando sua pernas magras, pousou sobre o peitoril inclinado de uma janela a alguns metros de Zaphod. Dobrou suas asas desajeitadas e ficou balançando desajeitadamente em seu poleiro.

As asas tinham uma envergadura de uns três metros, e tanto o pescoço quanto a cabeça pareciam peculiarmente grandes para uma ave. Sua cara era achatada e o bico pequeno, e na metade das asas podia-se ver vestígios do que devem ter sido mãos.

Para falar a verdade, tinha uma aparência quase humana.

Dirigiu seus olhos pesados para Zaphod e bateu o bico de modo desconexo.

– Vá embora – disse Zaphod.

– OK – disse o pássaro morosamente e saiu voando em meio à nuvem de poeira.

Zaphod olhou enquanto partia, perplexo.

– Aquele pássaro falou comigo? – perguntou Marvin nervosamente. Estava bem preparado para aceitar a explicação alternativa, de que na verdade estava tendo alucinações.

– Falou – confirmou Marvin.

– Pobres almas – disse uma voz profunda e etérea no ouvido de Zaphod.

Zaphod virou-se bruscamente para descobrir de onde vinha a voz e quase caiu ao fazer isso. Agarrou-se desesperado na saliência de uma janela e cortou a mão. Segurou-se, respirando com dificuldade.

A voz não vinha de lugar algum – não havia ninguém ali, não que pudesse ser visto. Ainda assim, falou de novo.

– Eles têm uma trágica história em seu passado, sabe? Um fardo terrível.

Zaphod olhou freneticamente para todos os lados. A voz era profunda e calma. Em outras circunstâncias até seria definida como reconfortante. Não há, no entanto, nada de reconfortante em ouvir uma voz sem corpo vinda do nada, especialmente se você estiver, como Zaphod, em uma situação delicada, pendurado num parapeito no oitavo andar de um edifício espatifado.

– Ei... – gaguejou.

– Quer que eu lhe conte a história deles? – perguntou calmamente a voz.

– Ei, quem é você – perguntou Zaphod, ofegante. – Onde você está?

– Quem sabe mais tarde, então – murmurou a voz. – Eu sou Gargravarr. Sou o Guardião do Vórtice da Perspectiva Total.

– Por que eu não posso vê-lo?...

– Você verá que será bem mais fácil descer – disse a voz em tom um pouco mais elevado – caso se desloque uns seis metros para sua esquerda. Por que não tenta?

Zaphod olhou e viu uma série de pequenas ranhuras horizontais que desciam até o solo. Agradecido, arrastou-se até elas.

– Por que não nos encontramos lá embaixo? – disse a voz em seu ouvido, sumindo enquanto falava.

– Ei, gritou Zaphod. – Onde está você?

– Só vai levar alguns minutos... – disse a voz, muito baixo.

– Marvin – disse Zaphod gravemente ao robô que se arrastava, desanimado, próximo a ele –, por acaso... por acaso uma voz acabou de...

– Sim – respondeu Marvin sucintamente.

Zaphod balançou a cabeça. Pegou seus óculos escuros sensipericulosidade outra vez. As lentes estavam completamente pretas, e a essa altura muito arranhadas por causa do estranho objeto de metal em seu bolso. Ele colocou os óculos. Era mais fácil descer do prédio se não precisasse ver o que estava fazendo.

Minutos mais tarde estava andando sobre os destroços rompidos e desfeitos da base do edifício. Tirou os óculos e pulou para o chão.

Marvin o alcançou logo em seguida e estendeu-se de bruços sobre a poeira e os entulhos, posição da qual não parecia muito inclinado a se mover.

– Ah, aí está você – disse a voz subitamente no ouvido de Zaphod. – Desculpe-me por tê-lo deixado sozinho daquele jeito, mas eu fico de estômago embrulhado com a altura. Ou melhor – acrescentou, entristecido –, eu ficava de estômago embrulhado com a altura.

Zaphod olhou ao redor bem devagar, apenas para ver se ele tinha deixado de notar algo que pudesse ser a fonte daquela voz. Tudo o que via, no entanto, era a poeira, o entulho e as enormes carcaças dos prédios à sua volta.

– Ei, por que não consigo vê-lo? – perguntou. – Por que você não está aqui?

– Eu estou aqui – disse a voz, devagar. – Meu corpo queria vir, mas está meio ocupado no momento. Coisas a fazer, umas pessoas que ele queria ver... – Após um suspiro etéreo acrescentou: – Você sabe como é essa coisa de corpo, não?

Zaphod não tinha certeza de ter entendido aquela parte.

– Achei que soubesse – respondeu.

– Só espero que ele tenha ido para um spa – continuou a voz. – Do jeito que ele tem vivido ultimamente, não vai muito bem dos cotovelos.

– Cotovelos? – disse Zaphod. – Você não quer dizer pernas?

A voz não disse nada durante um tempo. Zaphod olhou à sua volta, desconfortável. Não sabia se ela tinha ido embora, se ainda estava ali ou o que estava fazendo. Então a voz voltou a falar.

– Então você veio para ser colocado no Vórtice, não é?

– Hum, bem... – disse Zaphod, num esforço pouco eficaz para se mostrar indiferente. – Na verdade não estou com muita pressa, sabe? Acho que posso dar uma andada por aí e apreciar a paisagem, sabe?

– Apreciar a paisagem desse planeta? Você já olhou em volta? – perguntou a voz de Gargravarr.

– Na verdade, não.

Zaphod saiu andando por entre os entulhos e deu a volta num dos prédios semidestruídos que bloqueavam sua visão.

Olhou a paisagem do planeta Frogstar B e voltou.

– Bem, certo – disse –, então acho que vou ficar relaxando por aqui mesmo.

– Não – disse Gargravarr. – O Vórtice está esperando você. Você tem que vir. Siga-me.

– É? – disse Zaphod. – E como vou seguir alguém que é invisível?

– Vou emitir um som para você – disse Gargravarr. – Basta seguir o som.

Um silvo agudo e suave cortou o ar, um som triste que parecia não ter um foco preciso. Só escutando com bastante cuidado Zaphod conseguia perceber de onde vinha. Devagar e confuso, foi caminhando atrás dele. O que mais poderia fazer?

capítulo 10

O Universo, como já foi dito anteriormente, é um lugar desconcertantemente grande, um fato que, para continuar levando uma vida tranqüila, a maioria das pessoas tende a ignorar.

Muitos se mudariam, felizes, para qualquer outro lugar menor que fossem capazes de criar, e na verdade é isso que a maioria dos seres faz.

– Por exemplo, num canto do Braço Oriental da Galáxia fica o enorme planeta Oglaroon, totalmente coberto por florestas. Toda a sua população "inteligente" vive permanentemente dentro de uma nogueira, razoavelmente pequena e incrivelmente lotada. É nessa árvore que eles nascem, vivem, se apaixonam, entalham minúsculos artigos na casca da árvore especulando sobre o sentido da vida, a futilidade da morte e a importância do controle de natalidade, combatem em poucas e minúsculas guerras, e por fim morrem pendurados sob as ramagens de um dos galhos mais inacessíveis.

Na verdade, os únicos oglaroonianos que saem dessa árvore são aqueles que são banidos pelo abominável crime de imaginar se alguma das outras árvores poderia ser capaz de sustentar vida, ou até mesmo pensar se as outras árvores são algo além de ilusões provocadas por ingestão excessiva de oglanozes.

Por mais peculiar que esse comportamento possa parecer, não há uma única forma de vida na Galáxia que não possa ser acusada, de algum modo, dessa mesma coisa, e justamente por isso é que o Vórtice da Perspectiva Total é tão horripilante assim.

Quando você é posto no Vórtice, tem um rápido vislumbre de toda a inimaginável infinitude da criação, e no meio disso, em algum lugar, há um marcador minúsculo, um ponto microscópico colocado sobre outro ponto microscópico dizendo "Você está aqui".

A planície cinzenta estendia-se diante de Zaphod, uma planície destroçada e em ruínas. O vento soprava ferozmente sobre ela.

Um pouco à frente estava o domo metálico. "Aquilo era para onde ele estava indo. Aquilo era o Vórtice da Perspectiva Total", deduziu Zaphod.

Enquanto olhava assustado para o domo, um uivo desumano de terror emanou subitamente dele, algo como um homem tendo sua alma arrancada a fogo de seu corpo. O grito se espalhou sobre o vento e sumiu.

Zaphod começou a tremer de medo e seu sangue parecia ter se transformado em hélio líquido.

– Ei, o que foi isso? – murmurou.

– Uma gravação – disse Gargravarr – do último homem que foi colocado no Vórtice. Sempre é tocada para a próxima vítima, como uma espécie de prelúdio.

– Soa realmente mal... – gaguejou Zaphod. – Olha, será que não podemos dar uma saidinha, ir a uma festa ou algo no gênero e pensar a respeito?

– Pelo que eu saiba – disse a voz etérea de Gargravarr –, já estou numa festa. Ou melhor, meu corpo está. Ele vai a muitas festas sem mim. Diz que eu só atrapalho. É a vida.

– Como é essa história com seu corpo? – disse Zaphod, ansioso por retardar o máximo possível seja lá o que fosse acontecer com ele.

– Bom, é meio... é uma questão delicada, sabe? – disse Gargravarr hesitante.

– Ele tem uma mente própria, é isso?

Houve uma pausa longa e gélida antes que Gargravarr voltasse a falar.

– Devo dizer – retrucou – que considero esse comentário bastante grosseiro.

Zaphod murmurou um pedido de desculpas, espantado e embaraçado ao mesmo tempo.

– Não tem importância – disse Gargravarr –, você não tinha como saber.

A voz tremia, infeliz.

– A verdade é que – prosseguiu com o tom de alguém (ou algo) que está fazendo um enorme esforço para manter o controle –, a verdade é que estamos atravessando um período de separação de corpos. Acho que vai terminar em divórcio.

A voz ficou novamente em silêncio, deixando Zaphod sem saber o que dizer. Resmungou algo sem muita convicção.

– Acho que não combinamos bem um com o outro – disse Gargravarr após algum tempo –, parece que nunca estávamos felizes fazendo as mesmas coisas. Sempre tínhamos enormes discussões sobre sexo e pescarias. Chegamos a tentar combinar as duas coisas, mas isso acabou em um completo desastre, como você provavelmente pode imaginar. E agora meu corpo se recusa a me deixar entrar. Não quer nem me ver...

Fez outra pausa teatral. O vento gemia na planície.

– Ele diz que eu vivo limitando suas ações. Eu argumentei que esse era exatamente meu papel e daí ele disse que esse era exatamente o tipo de resposta espertinha feita para irritar um corpo como ele. Provavelmente vai conseguir a custódia do meu primeiro nome.

– Oh...? – disse Zaphod, indistintamente. – E qual é?

– Pizpot – disse a voz. – Meu nome é Pizpot Gargravarr. O nome já diz tudo, não?

– É – concordou Zaphod, incerto.

– E é por isso que eu, na condição de mente sem corpo, tenho esse emprego de Guardião do Vórtice da Perspectiva Total. Ninguém jamais põe os pés na superfície deste planeta. A não ser as vítimas do Vórtice – mas, em última instância, acho que essas não contam.

– Ah...

– Vou lhe contar a história. Gostaria de ouvi-la?

– Ahn...

– Há muitos anos este era um planeta próspero e feliz. Havia pessoas, cidades, lojas, era um mundo normal. Exceto pelo fato de que nas ruas dessas cidades havia um número de sapatarias um pouco maior do que poderíamos considerar necessário. E lentamente, insidiosamente, o número dessas sapatarias foi aumentando. É um fenômeno econômico bastante conhecido, mas trágico quando você vê a coisa toda acontecendo. Quanto mais sapatarias havia, mais sapatos precisavam ser fabricados, e os sapatos iam ficando piores e menos duradouros. E quanto piores ficavam, mais as pessoas tinham que comprar sapatos para se manterem calçadas, e mais as sapatarias se expandiam, até que toda a economia do planeta passou por algo que, se não me engano, foi chamado de Horizonte dos Eventos dos Sapatos – um ponto a partir do qual, economicamente, não era mais possível construir nada a não ser sapatarias. O resultado disso foi o colapso econômico e social, a ruína e a fome. A maioria da população pereceu. Os poucos que tinham um tipo específico de instabilidade genética sofreram mutações e viraram pássaros – você viu um deles – que amaldiçoaram seus pés, amaldiçoaram o chão e juraram que ninguém mais andaria aqui. Muito infeliz, isso tudo. Mas venha, preciso levá-lo ao Vórtice.

Zaphod balançou a cabeça estupefato e seguiu cambaleando pela planície.

– E você – perguntou –, você nasceu neste lugar infernal?

– Não, não – disse Gargravarr, ofendido. – Eu sou do planeta Frogstar C. Lindo lugar. Maravilhoso para se pescar. Volto para lá todo fim de tarde. Se bem que tudo o que posso fazer agora é ficar olhando. O Vórtice da Perspectiva Total é a única coisa neste planeta que serve para algo. Foi construído aqui porque ninguém mais o queria por perto.

Nesse instante outro grito lúgubre cortou o ar e Zaphod estremeceu.

– O que é que isso faz com as pessoas? – perguntou, ofegante.

– O Universo – disse Gargravarr –, toda a infinitude do Universo reunida. Infinitos sóis, infinitas distâncias entre eles, e você, um pontinho invisível sobre outro pontinho invisível, infinitamente pequeno.

– Ei, eu sou Zaphod Beeblebrox, cara, você sabe com quem está lidando? – sussurrou Zaphod, tentando trazer à tona o que ainda restava de seu ego.

Gargravarr não respondeu, apenas voltou a emitir seu som pesaroso até que chegaram ao domo de aço levemente corroído no meio da planície.

Ao chegarem, uma porta se abriu, revelando uma pequena câmara escura no interior.

– Entre – disse Gargravarr.

Zaphod sentiu medo.

– Como assim, já? – disse.

– Já.

Zaphod deu uma olhada para dentro, nervosamente. A câmara era muito pequena, toda de aço, e dentro dela não cabia muito mais que um homem.

– Isso... não... não me lembra muito um Vórtice ou algo no gênero – disse Zaphod.

– Não, é apenas o elevador – disse Gargravarr. – Entre.

Tremendo de medo, Zaphod entrou. Sabia que Gargravarr estava no elevador com ele, embora o homem sem corpo não estivesse falando naquele exato momento.

O elevador iniciou a descida.

– Preciso encontrar o estado de espírito mais adequado para isso – murmurou Zaphod.

– Não há um estado de espírito adequado – disse Gargravarr, seco.

– Você realmente sabe como fazer alguém se sentir mal.

– Eu, não. O Vórtice sabe.

No fundo do poço, a outra porta do elevador se abriu e Zaphod entrou em uma câmara de aço, pequena e estritamente utilitária.

Do outro lado havia uma única cabine vertical de aço, do tamanho exato para um homem ficar de pé.

Era só isso.

Essa cabine estava conectada a uma pequena pilha de componentes e instrumentos através de um único fio.

– É só isso? – disse Zaphod, surpreso.

– Só isso.

"Não parecia tão ruim", pensou Zaphod.

– E eu entro aí dentro? – disse Zaphod.

– Sim – disse Gargravarr –, e temo que você deva entrar já.

– OK, OK – disse Zaphod.

Abriu a porta da cabine e entrou. Ficou esperando lá dentro.

Passados cinco minutos, ouviu um clique, e todo o Universo estava lá, na cabine, com ele.

capítulo 11

O Vórtice da Perspectiva Total deriva sua imagem da totalidade do Universo a partir do princípio de análise extrapolativa da matéria.

De forma mais simples, uma vez que cada pedaço de matéria no Universo é, de alguma forma, afetado por todos os outros pedaços de matéria do Universo, é teoricamente possível extrapolar a totalidade da criação – cada sol, cada planeta, suas órbitas, sua composição e sua história econômica e social a partir de, digamos, um pedaço de pão-de-ló.

O homem que inventou o Vórtice da Perspectiva Total o fez basicamente para irritar sua mulher.

Trin Tragula – esse era seu nome – era um sonhador, um pensador, um filósofo ou, como sua mulher o definiria, um idiota.

E ela o enchia sem cessar por conta do tempo absurdamente longo que ele dedicava a observar o espaço, ou a meditar sobre o mecanismo dos alfinetes de segurança, ou a fazer análises espectrográficas de pedaços de pão-de-ló.

– Você precisa entender a dimensão das coisas! – dizia ela, umas 38 vezes em um só dia.

E então ele construiu o Vórtice da Perspectiva Total – só para mostrar a ela.

Em uma ponta ele conectou a totalidade da realidade, extrapolada a partir de um pedaço de pão-de-ló, e na outra ponta conectou sua esposa, de modo que, quando ele colocou a máquina para funcionar, ela viu em um único instante toda a infinidade da criação e viu a si mesma em relação a tudo.

Trin Tragula ficou horrorizado ao descobrir que o choque havia destruído completamente o cérebro de sua mulher. Contudo, para sua satisfação, ele compreendeu que tinha provado de uma vez por todas que, se a vida deve existir em um Universo desse tamanho, uma coisa básica que não se pode entender é a dimensão das coisas.

A porta do Vórtice abriu-se.

Gargravarr observava com sua mente descorporificada. Tinha gostado de Zaphod Beeblebrox, ainda que fosse estranho. Certamente era um homem que possuía muitas qualidades, mesmo que fossem quase todas ruins.

Esperava que ele caísse duro para fora da caixa, como todos os outros.

Em vez disso, ele saiu andando.

– Oi! – disse ele.

– Beeblebrox... – titubeou a mente de Gargravarr, estupefata.

– Poderíamos tomar um drinque agora? – disse Zaphod.

– Você... você... esteve no Vórtice? – gaguejou Gargravarr.

– Você me viu, cara.

– E estava funcionando?

– Claro que estava.

– E você viu toda a infinitude da criação?

– Claro. É realmente um grande lugar, sabe?

A mente de Gargravarr girava atordoada. Se seu corpo estivesse com ela, teria caído sentado de boca aberta.

– E você se viu – disse Gargravarr – em relação a tudo?

– Ah, vi, vi.

– Mas... o que você sentiu?

Zaphod sacudiu os ombros com um jeitão malandro.

– A máquina só me disse o que eu sempre soube o tempo

todo. Sou realmente um grande sujeito, um cara impressionante. Não disse, cara, eu sou Zaphod Beeblebrox!

Seu olhar percorreu a maquinaria que fazia funcionar o Vórtice e parou subitamente, sobressaltado.

Respirou pesadamente.

– Ei – disse –, aquilo é mesmo um pedaço de pão-de-ló?

Arrancou o pedaço de bolo dos sensores a que estava ligado.

– Se lhe dissesse o quanto eu estava precisando disso – falou vorazmente –, eu não teria tempo de comer.

Comeu.

capítulo 12

Pouco depois ele estava correndo pela planície em direção à cidade em ruínas.

O ar úmido chiava em seus pulmões e ele freqüentemente tropeçava por conta do cansaço que sentia. A noite também estava começando a cair, e o terreno irregular era traiçoeiro.

Ainda estava excitado com sua recente experiência. Todo o Universo. Tinha visto todo o Universo estender-se infinitamente ao seu redor – absolutamente tudo. E com isso viera o conhecimento claro e extraordinário de que, em meio a toda a Criação, ele era a coisa mais importante. Ter um enorme ego era uma coisa. Mas receber uma confirmação formal de uma máquina era outra.

Não tinha tempo para refletir sobre o assunto.

Gargravarr lhe havia dito que teria que alertar seus superiores sobre o que acontecera, mas que estava disposto a deixar passar um tempo razoável antes disso. Tempo suficiente para que Zaphod pudesse encontrar um lugar para se esconder.

Não sabia exatamente o que ia fazer, mas sentir que era a pessoa mais importante do Universo lhe dava total confiança de que alguma coisa iria surgir.

Nada mais naquele planeta putrefato poderia gerar qualquer otimismo.

Continuou correndo e logo atingiu a periferia da cidade abandonada.

Andou pelas ruas tortuosas e destruídas, cobertas de ervas daninhas e cheias de sapatos putrefatos. Os prédios por que ele passou estavam tão quebrados e decrépitos que achou pouco seguro entrar. Onde iria se esconder? Apertou o passo.

Algum tempo depois a rua por onde vinha caminhando abriu-se em uma avenida larga, que terminava em um prédio baixo e vasto, rodeado por vários outros menores. Em volta desse conjunto de prédios havia restos de uma cerca. O vasto prédio principal parecia continuar razoavelmente sólido, e Zaphod seguiu em sua direção para saber se ele poderia lhe dar um... bom, a essa altura, qualquer coisa.

Aproximou-se do prédio. Ao longo de um dos lados – que parecia ser a parte frontal, já que se abria em uma larga faixa de concreto – havia três enormes portões, cada um com cerca de 20 metros de altura. O mais distante estava aberto e Zaphod correu até ele.

Lá dentro estava tudo escuro, empoeirado e confuso. Tudo estava coberto por gigantescas teias de aranha. Parte da infraestrutura do prédio tinha desabado, parte da parede dos fundos tinha desmoronado e havia uma grossa camada de poeira cobrindo o chão.

Em meio à escuridão delineavam-se formas enormes, cobertas por escombros.

Algumas dessas formas eram cilíndricas, outras se pareciam com bulbos, enquanto outras ainda se pareciam com ovos ou, mais exatamente, ovos quebrados. A maioria delas estava partida ao meio ou caindo aos pedaços, e outras eram apenas esqueletos.

Todas elas eram restos de espaçonaves abandonadas.

Zaphod perambulou frustrado por entre os escombros. Não havia nada naquele prédio que fosse sequer remotamente aproveitável. Até a pequena vibração de seus passos fez com que um dos destroços se quebrasse ainda mais.

Próxima ao fundo do prédio havia uma velha nave, um pouco maior que as demais, encoberta por camadas ainda mais espessas de pó e teias de aranha. Ainda assim, vista de fora, ela parecia intacta. Zaphod aproximou-se com interesse e, ao fazê-lo, tropeçou em um velho cabo de alimentação.

Tentou se livrar do fio e, para sua surpresa, descobriu que ainda estava conectado com a nave.

Para seu total assombro, percebeu que a linha de alimentação emitia um leve zumbido.

Olhou para a nave, incrédulo, e novamente para o cabo que segurava em suas mãos.

Arrancou seu paletó e jogou fora. De quatro, engatinhando, seguiu o cabo de alimentação até o ponto onde se conectava com a nave. A conexão estava firme e o zumbido um pouco mais alto.

Seu coração batia acelerado. Limpou um pouco da poeira e encostou o ouvido contra a lateral da nave. Podia ouvir apenas um ligeiro ruído indeterminado.

Vasculhou fervorosamente os escombros que estavam no chão ao seu redor e acabou encontrando um pequeno tubo e um copo de plástico não-biodegradável. Juntando os dois, fez um estetoscópio tosco e colocou-o contra a superfície externa da nave.

O que ele ouviu fez seus cérebros darem saltos-mortais.

A voz dizia:

"A Transtellar Cruise Lines gostaria de pedir desculpas aos passageiros pelo atraso prolongado desse vôo. Estamos no momento esperando a recarga de nosso suprimento de lencinhos umedecidos de limão para seu conforto, frescor e higiene durante a viagem. Enquanto isso, agradecemos sua paciência. A tripulação de bordo irá em breve servir mais café e biscoitos."

Zaphod quase caiu para trás, olhando sem compreender para a nave.

Andou em volta da nave por alguns instantes, perplexo. Foi quando percebeu, subitamente, que um gigantesco quadro de embarque continuava suspenso, preso por um único suporte ao teto. Estava coberto por uma grossa camada de poeira, mas ainda era possível ler alguns dos números.

Os olhos de Zaphod correram as fileiras de números enquanto ele fazia umas contas rápidas. Arregalou os olhos.

– Novecentos anos... – murmurou para si mesmo. A espaçonave estava de fato ligeiramente atrasada.

Dois minutos mais tarde ele estava do lado de dentro.

Assim que passou pela cabine de descompressão, o ar do outro lado era fresco e agradável – o ar-condicionado ainda estava funcionando.

As luzes ainda estavam acesas.

Ele saiu da entrada e foi dar num corredor estreito, que percorreu nervosamente.

De repente uma porta se abriu e apareceu uma figura diante dele.

– Por favor, queira retornar ao seu lugar, senhor – disse um andróide-aeromoça, que logo se virou e continuou andando pelo corredor.

Ele a seguiu assim que seu coração voltou a bater. Ela abriu a porta no final do corredor e continuou.

Ele também atravessou a porta.

Estavam agora no compartimento de passageiros e o coração de Zaphod parou outra vez por um breve momento.

Em cada poltrona estava sentado um passageiro, com os cintos de segurança afivelados.

Os cabelos dos passageiros eram longos e desgrenhados, suas unhas estavam compridas e todos os homens tinham barba.

Todos eles estavam claramente vivos – mas dormindo.

Zaphod sentiu calafrios de horror.

Caminhou pelo corredor entre as poltronas como num sonho. Quando ele estava no meio do caminho, a aeromoça tinha atingido o outro extremo. Ela se virou e disse:

– Boa tarde, senhoras e senhores – falou suavemente –, agradecemos sua paciência durante esta pequena demora. Levantaremos vôo em breve. Se acordarem agora, servirei café e biscoitos.

Houve um breve zumbido.

Nesse momento todos os passageiros acordaram.

Acordaram berrando e tentando arrancar os cintos e equipamentos de suporte à vida que os mantinham presos às poltronas. Gritaram e berraram até Zaphod achar que seus ouvidos iram explodir.

Lutavam e se contorciam, enquanto a aeromoça pacientemente seguia pelo corredor colocando uma bandeja com uma xícara de café e um pacote de biscoitos em frente a cada um deles.

Então um deles ergueu-se de sua poltrona.

Virou-se e olhou para Zaphod.

A pele de Zaphod se encrespou por todo o seu corpo, como se estivesse tentando sair dele. Ele se virou e saiu correndo do tumulto.

Atravessou a porta e voltou ao outro corredor.

O homem o perseguiu.

Correu freneticamente até o final do corredor, atravessou a câmara de embarque e seguiu em frente. Chegou à cabine de comando, fechou e trancou a porta atrás de si. Apoiou-se na porta, sem fôlego.

Em questão de segundos, uma mão começou a bater na porta.

De algum lugar na cabine de comando uma voz metálica se dirigia a ele.

– Os passageiros não têm permissão de permanecer na cabine de comando. Por favor, retorne ao seu assento e aguarde a decolagem. Café e biscoitos estão sendo servidos. Aqui quem fala é seu piloto automático. Por favor, retorne ao seu assento.

Zaphod não disse nada. Estava ofegante e atrás dele a mão continuava batendo na porta.

– Por favor, retorne ao seu assento – repetiu o piloto automático. – Os passageiros não têm permissão de permanecer na cabine de comando.

– Eu não sou um passageiro – arquejou Zaphod.

– Por favor, retorne ao seu assento.

– Eu não sou um passageiro! – gritou Zaphod mais uma vez.

– Por favor, retorne ao seu assento.

– Eu não sou... alô, está me ouvindo?

– Por favor, retorne ao seu assento.

– Você é o piloto automático? – perguntou Zaphod.

– Sou – disse a voz que saía do painel de comando.

– Você controla esta nave?

– Sim – disse a voz novamente –, houve um atraso. Os passageiros devem ser mantidos em animação suspensa, para seu conforto e conveniência. Servimos café e biscoitos a cada ano, e depois disso os passageiros voltam à animação suspensa para prolongar seu conforto e conveniência. Decolaremos assim que os suprimentos de vôo estiverem completos. Pedimos desculpa pela demora.

Zaphod afastou-se da porta, na qual finalmente não estavam mais batendo. Aproximou-se do painel de controle.

– Demora? – gritou ele. – Você viu o mundo que está do lado de fora desta nave? É uma terra devastada, um deserto. A civilização apareceu e se foi, cara. Não há lencinhos umedecidos em limão em lugar algum por aqui!

– Há forte probabilidade – prosseguiu o piloto automático altivamente – de que outras civilizações venham a se formar. Um dia haverá lencinhos de papel umedecidos em limão. Até lá haverá uma pequena demora. Por favor, retorne ao seu assento.

– Mas...

Mas nesse instante a porta se abriu. Zaphod voltou-se para ver o homem que o perseguira e que agora estava de pé à sua frente. Carregava uma maleta de executivo. Estava vestido com elegância e tinha cabelos bem cortados. Não possuía barba nem unhas compridas.

– Zaphod Beeblebrox – disse ele. – Meu nome é Zarniwoop. Creio que você estava querendo falar comigo.

Zaphod Beeblebrox estremeceu. Suas bocas murmuravam palavras sem nexo. Caiu sentado numa cadeira.

– Cara, uau! De onde você surgiu? – disse ele.

– Eu estava aqui esperando você – disse tranqüilamente, como um homem de negócios chegando para uma reunião.

Largou a maleta e sentou-se em outra cadeira.

– Fico feliz em ver que você seguiu as instruções – prosseguiu. – Estava um pouco preocupado que você tivesse saído de meu escritório pela porta e não pela janela. Nesse caso, você estaria com problemas sérios.

Zaphod sacudiu as cabeças e balbuciou.

– Quando você entrou pela porta de meu escritório, você penetrou em meu Universo sintetizado eletronicamente – explicou. – Se tivesse saído pela porta, teria voltado ao real. O Universo artificial é controlado daqui.

Deu uns tapinhas na maleta.

Zaphod o observou com ressentimento e desprezo.

– Qual é a diferença? – murmurou.

– Nenhuma – disse Zarniwoop –, são idênticos. Ah, acho que os caças Frogstar são verdes no Universo real, se não me engano.

– O que está acontecendo? – bradou Zaphod.

– Simples – disse Zarniwoop. Sua autoconfiança e presunção faziam Zaphod irritar-se ao extremo. – Muito simples – repetiu –, descobri as coordenadas onde esse homem pode ser encontrado – o homem que rege o Universo – e descobri que seu planeta está protegido por um Campo de Improbabilidade. Para proteger meu segredo – e a mim – retirei-me para a completa segurança deste Universo totalmente artificial e me escondi em uma nave de cruzeiro esquecida. Eu estava em segurança. Enquanto isso, você e eu...

– Você e eu? – disse Zaphod furioso. – Quer dizer que eu o conhecia?

– Conhecia – disse Zarniwoop. – Éramos bons amigos.

– Certamente eu não tinha bom gosto – disse Zaphod, e depois ficou em silêncio, emburrado.

– Enquanto isso, eu e você combinamos que você roubaria a nave com o motor de Improbabilidade Infinita – a única que poderia alcançar o mundo do regente do Universo – e a traria para mim aqui. Creio que você acabou de fazer isso, e lhe dou meus parabéns. – Dirigiu-lhe um sorriso artificial no qual Zaphod gostaria de ter batido com um tijolo. – Ah, e caso você esteja querendo saber – acrescentou Zarniwoop –, este Universo foi criado especificamente para esperar sua chegada. Você é, portanto, a pessoa mais importante deste Universo. Você jamais – prosseguiu com um sorriso ainda mais tijolável – teria sobrevivido ao Vórtice da Perspectiva Total no Universo real. Vamos?

– Aonde? – disse Zaphod, emburrado. Sentia-se arrasado.

– À sua nave. A Coração de Ouro. Acredito que você a trouxe, não?

– Não.

– Onde está o seu paletó?

Zaphod o encarou, completamente perdido.

– Meu paletó? Eu o tirei, está lá fora.

Zarniwoop levantou-se e fez um gesto para que Zaphod o acompanhasse.

Na câmara de entrada puderam ouvir os gritos dos passageiros sendo alimentados com café e biscoitos.

– Não foi uma experiência muito agradável esperar por você – disse Zarniwoop.

– Não muito agradável para você! – berrou Zaphod. – Como você acha que...

Zarniwoop levantou um dedo pedindo silêncio enquanto abria a escotilha para sair da nave. A poucos metros dali estava o paletó de Zaphod sobre os escombros.

– Uma nave muito notável e poderosa – disse Zarniwoop. – Observe.

Enquanto observavam, o bolso do paletó subitamente começou a inchar e depois rasgou-se. O pequeno modelo de metal da Coração de Ouro que Zaphod tinha achado, atônito, em seu bolso, estava crescendo.

Crescia, continuava a crescer. Após alguns minutos atingiu seu tamanho natural.

– A um Nível de Improbabilidade de... – disse Zarniwoop – de... ah, sei lá, mas é um número muito grande.

Zaphod ficou perplexo.

– Quer dizer que ela estava comigo o tempo todo?

Zarniwoop sorriu. Pegou sua mala e abriu-a. Girou um único botão dentro dela.

– Adeus, Universo artificial – disse ele. – Alô, Universo real.

O cenário diante deles piscou rapidamente e logo reapareceu exatamente como antes.

– Viu? – disse Zarniwoop. – Exatamente igual.

– Quer dizer – repetiu Zaphod ainda perplexo – que ela estava comigo o tempo todo?

– Sim – disse Zarniwoop –, claro. Era justamente essa a idéia.

– Já chega! – disse Zaphod. – Eu estou fora, daqui pra frente não conte comigo. Essa coisa toda já passou dos limites. Você pode ir brincar sozinho com suas coisas.

– Lamento, mas você não pode sair – disse Zarniwoop –, está preso ao campo de Improbabilidade. Não há como escapar.

Sorriu novamente com aquele sorriso artificial no qual Zaphod queria ter batido, e desta vez bateu de fato.

capítulo 13

Ford Prefect saltou para a ponte de comando da Coração de Ouro.

– Trillian! Arthur! – gritou. – Está funcionando! A nave foi reativada!

Trillian e Arthur estavam dormindo no chão.

– Vamos, acordem, estamos de partida, vamos nessa – disse, acordando os dois com pequenos chutes.

– Oi, gente – disse o computador –, é muito legal estar com vocês de novo, é sim, e só queria dizer que...

– Cale a boca – disse Ford –, diga-nos apenas onde, diabos, estamos.

– Planeta Frogstar B, e, cara, isso aqui é um lixo! – disse Zaphod, correndo para a ponte. – Oi, turma, vocês devem estar tão imensamente felizes de me ver que não conseguem encontrar palavras para exprimir o quanto eu sou *mingo dupal.*

– O quanto você é o quê? – disse Arthur, de olhos turvos, erguendo-se do chão sem entender nada.

– Sei como vocês se sentem – disse Zaphod. – Sou tão sensacional que às vezes até eu mesmo me atrapalho quando falo comigo. Ei, legal ver vocês, Trillian, Ford, homem-macaco. E, ahn, computador...?

– Oi, gente, Sr. Beeblebrox, é realmente uma grande honra...

– Cale a boca e tire-nos daqui, bem rápido.

– Pra já, amigão, aonde vamos?

– Qualquer lugar, não importa – gritou Zaphod. – Quer dizer, importa sim! – retomou. – Queremos ir para o lugar mais próximo onde possamos comer!

– Deixa comigo! – disse o computador em um tom feliz. Uma grande explosão sacudiu a ponte.

Quando Zarniwoop entrou um minuto mais tarde, com um olho roxo, observou os quatro filetes de fumaça com curiosidade.

capítulo 14

Quatro corpos inertes deslizavam para dentro de um redemoinho de escuridão. A consciência estava morta e um aniquilamento gélido drenava os corpos cada vez mais fundo no infindável poço do não-ser. O rugir do silêncio desolador ecoava a seu redor e eles afundaram, por fim, no mar escuro e amargo de um vermelho nauseante que lentamente os engoliu, aparentemente para todo o sempre.

Após um tempo que pareceu uma eternidade, o mar recuou e lançou os corpos estendidos em uma praia fria e desolada, dejetos e espuma da correnteza da Vida, do Universo e Tudo Mais.

Espasmos frios percorriam seus corpos, luzes doentias dançavam em torno deles. A praia fria e desolada inclinou-se, girou e finalmente parou. Brilhava em sua escuridão – era uma praia fria e desolada muito bem polida.

Um borrão esverdeado os observava com ar de desagrado.

Tossiu.

– Boa noite, madame, cavalheiros – disse –, os senhores têm uma reserva?

A consciência de Ford Prefect ricocheteou de volta, como um elástico, reativando seu cérebro. Olhou para o borrão, perplexo.

– Reserva? – perguntou em voz de ressaca.

– Sim, senhor – disse o borrão verde.

– É preciso reserva para o além-vida?

À medida que é possível para um borrão esverdeado levantar as sobrancelhas desdenhosamente, foi isso que o borrão esverdeado fez em seguida.

– Além-vida, senhor? – disse.

Arthur Dent lutava com sua consciência como alguém que persegue um sabonete caído na banheira.

– Aqui é o além? – gaguejou.

– Bom, eu presumo que seja – disse Ford Prefect, tentando descobrir qual era o lado de cima. Testou a teoria de que deveria ficar na direção oposta do chão frio e desolado da praia em que estava deitado e cambaleou até se apoiar naquilo que esperava serem seus pés.

– Quero dizer – disse ele, balançando suavemente –, nós não podemos ter sobrevivido àquela explosão, podemos?

– Não – murmurou Arthur. Ele estava se apoiando sobre os cotovelos, mas aparentemente isso não melhorou em nada sua situação. Deixou-se cair de novo.

– Não – disse Trillian, levantando-se –, não podemos, de forma alguma.

Um som surdo, rouco e gorgolejante emergiu do solo. Era Zaphod Beeblebrox tentando falar.

– Eu certamente não sobrevivi – disse ele. – Eu estava totalmente condenado. Zapt, zupt, e tudo se acabou.

– É, graças a você – disse Ford –, não tivemos a menor chance. Devemos ter sido transformados em pedacinhos. Braços, pernas por toda parte.

– É – disse Zaphod brigando com seus pés para se levantar.

– Se madame e os cavalheiros desejarem algo para beber... – disse o borrão esverdeado, que flutuava impaciente ao lado deles.

– Tunk zapt splonk – prosseguiu Zaphod –, e fomos instantaneamente zonkeados em nossas moléculas fundamentais. Ei, Ford – disse, ao identificar um dos borrões que se solidificavam lentamente à sua volta –, você também passou por essa coisa de ver sua vida toda transcorrendo à sua frente?

– Você também sentiu isso? – disse Ford. – Toda a sua vida?

– É, ou pelo menos estou supondo que fosse a minha. Eu passei muito tempo fora de mim, sabe.

Olhou à sua volta para as várias formas que estavam finalmente se tornando formas de fato, em vez de vagas e oscilantes formas sem forma.

– Então... – disse.

– Então o quê? – disse Ford.

– Então aqui estamos nós – disse Zaphod, hesitante –, estirados mortos no chão...

– De pé – corrigiu Trillian.

– Ahn, mortos, de pé no chão – continuou Zaphod –, neste desolado...

– Restaurante – disse Arthur Dent, que tinha conseguido um acordo com seus pés e já conseguia, para sua surpresa, ver claramente. Aliás, o que o surpreendia não era que ele pudesse ver, mas o que estava vendo.

– Aqui estamos nós – continuou Zaphod, irredutível –, de pé, mortos, neste desolado...

– Restaurante... – disse Trillian.

– De cinco estrelas – concluiu Zaphod.

– Estranho, não? – disse Ford.

– Ahn, é.

– Ainda assim, belos candelabros – disse Trillian.

Olharam uns para os outros, estupidificados.

– Não é bem um além-vida – disse Arthur. – É mais um tipo de *après vie.*[1]

Os candelabros eram de fato um tanto "cheguei" e o teto baixo em forma de abóbada onde estavam pendurados não teria, num Universo ideal, sido pintado naquele tom peculiar de turquesa, e, mesmo se tivesse sido pintado, não teria sido iluminado por aquela luz indireta. Este não é, contudo, um Universo ideal, como ficou bastante claro ao observarem os desenhos no piso de mármore, e ainda pelo modo como a fachada do bar tinha sido feita. A fachada do bar de 100 metros coberta por mármore tinha sido feita através da junção de quase 20 mil peles de Lagartos Mosaicos Antareanos, sem que fosse levado em conta o fato de que os 20 mil lagartos envolvidos precisavam daquelas peles para manterem seus interiores dentro.

Algumas criaturas elegantemente vestidas estavam batendo papo no bar ou descansando nos confortáveis assentos ricamente coloridos espalhados ao longo do salão do bar. Um jovem oficial Vl'Hurg e sua acompanhante vaporosamente verde atravessaram a porta de vidro fumê no fundo do bar e entraram no salão principal do Restaurante, fortemente iluminado.

Atrás de Arthur havia uma grande janela com cortinas. Ele afastou um canto da cortina e olhou para fora, para uma paisagem que, em condições normais, teria lhe dado calafrios de terror. Como estas não eram condições normais, a coisa que fez com que seu sangue gelasse e sua pele tentasse sair por suas costas para sair pela nuca era o céu. O céu estava...

Um criado de libré puxou educadamente a cortina de volta ao seu lugar.

– Tudo a seu tempo, cavalheiro – disse.

Os olhos de Zaphod flamejaram.

– Ei, se liguem nessa, defuntos – disse. – Acho que não estamos entendendo uma coisa ultra-importante aqui, sabe. Alguma coisa que alguém aqui disse e deixamos passar.

Arthur estava profundamente aliviado em desviar sua atenção daquilo que acabara de ver. Ele disse:

– Eu disse que era uma espécie de *après*...

– É, e não preferia não ter dito isso? – disse Zaphod. – E você, Ford?

---

[1] Expressão francesa que significa, literalmente, além-vida.

– Eu disse que era estranho.

– É, perspicaz mas meio bobo, talvez tenha sido...

– Talvez – interrompeu o borrão esverdeado, que a essa altura tinha se condensado na forma de um mirrado garçonzinho vestido de verde-escuro –, talvez os senhores queiram discutir essa questão enquanto tomam um drinque...

– Um drinque, é isso! – exclamou Zaphod. – Está vendo o que você deixa passar se não está o tempo todo alerta?

– É verdade, senhor – disse o garçom pacientemente. – Se a senhorita e os senhores desejarem tomar um drinque antes do jantar...

– Jantar! – exclamou Zaphod entusiasticamente. – Escute, pessoinha verde, meu estômago poderia levá-lo para casa e afagá-lo durante toda a noite só por conta dessa idéia.

– ...e o Universo – prosseguiu o garçom, determinado a não se deixar abalar – explodirá mais tarde, para seu prazer.

A cabeça de Ford inclinou-se lentamente em sua direção. Ele falou com sentimento.

– Uau! – disse ele –, que espécie de bebida vocês servem neste lugar?

O garçom riu com um daqueles risinhos educados de garçons.

– Ah – disse ele –, talvez o senhor tenha interpretado mal minhas palavras.

– E eu espero que não! – disse Ford.

O garçom tossiu com uma daquelas pequenas tosses educadas de garçons.

– Não é raro que nossos fregueses sintam-se um pouco desorientados com a viagem no tempo – disse. – Gostaria de sugerir então...

– Viagem no tempo? – disse Zaphod.

– Viagem no tempo? – disse Ford.

– Viagem no tempo? – disse Trillian.

– Quer dizer que isto não é o além-vida? – disse Arthur.

O garçom sorriu com um pequeno sorriso educado de garçom. Tinha quase esgotado todo o seu pequeno repertório de garçom educado e logo recairia em seu papel de garçom de cara amarrada e pequenos sorrisos sarcásticos.

– Além-vida, senhor? – disse. – Não, senhor.

– E não estamos mortos? – disse Arthur.

O garçom fez uma cara amarrada.

– Ah, ah – disse. – O cavalheiro está evidentissimamente vivo, caso contrário eu não tentaria atendê-lo, senhor.

Num gesto extraordinário que não faria sentido tentar descrever, Zaphod Beeblebrox bateu em suas duas testas com dois de seus braços e em uma de suas coxas com o terceiro.

– Ei, galera – disse. – Isso é alucinante! Conseguimos! Finalmente chegamos aonde estávamos indo! Aqui é o Milliways!

– Milliways! – disse Ford.

– Sim, senhor – disse o garçom, ainda tentando conservar sua paciência –, estamos no Milliways, o Restaurante no Fim do Universo.

– Fim do quê? – perguntou Arthur.

– Do Universo – repetiu o garçom, com muita clareza e desnecessária distinção.

– Quando isso vai acabar? – perguntou Arthur.

– Dentro de poucos minutos, senhor. – Respirou fundo. Não precisava fazê-lo, uma vez que seu corpo era suprido com a variedade peculiar de gases de que necessitava para sua sobrevivência através de um pequeno dispositivo intravenoso atado à sua perna. Há momentos, porém, em que é preciso respirar fundo, seja qual for o metabolismo que se tenha.

– Agora, se os senhores finalmente quiserem pedir seus drinques – disse –, eu irei conduzi-los à sua mesa.

Zaphod arreganhou dois sorrisos maníacos, saltitou pelo bar e comprou quase tudo que havia por lá.

capítulo 15

O Restaurante no Fim do Universo é um dos acontecimentos mais extraordinários em toda a história dos restaurantes. Foi construído a partir dos restos fragmentários do... será construído a partir dos restos fragmentários do... ou seja, já terá sido construendoído a essas alturas, e de fato já havereria tendo sido...

Um dos maiores problemas encontrados em viajar no tempo não é vir a se tornar acidentalmente seu próprio pai ou mãe. Não há nenhum problema em tornar-se seu próprio pai ou mãe com que uma família de mente aberta e bem ajustada não possa lidar. Também não há nenhum problema em relação a mudar o curso da história – o curso da história não muda porque todas as peças se juntam como num quebra-cabeça. Todas as mudanças importantes já ocorreram antes das coisas que deveriam mudar e tudo se resolve no final.

O problema maior é simplesmente gramatical, e a principal obra a ser consultada sobre esta questão é o tratado do Dr. Dan Streetmentioner, o *Manual das 1001 Formações de Tempos Gramaticais para Viajantes Espaço-Temporais*. Nesse livro você aprende, por exemplo, como descrever algo que estava prestes a acontecer com você no passado antes que o acontecimento fosse evitado quando você pulou para a frente dois dias. O evento é descrito a partir de diferentes pontos de vista, conforme você esteja se referindo a ele do seu próprio instante, de uma época no futuro ou de uma época no passado, e a coisa toda vai ficando ainda mais complicada caso você esteja conversando enquanto viaja de um instante no tempo para outro na tentativa de tornar-se seu próprio pai ou sua própria mãe.

A maioria dos leitores chega até o Futuro Semicondicionalmente Modificado Subinvertido Plagal do Pretérito Subjuntivo Intencional antes de desistir. Por isso, em edições mais recentes desse livro, as páginas subseqüentes têm sido deixadas em branco para economizar custos de impressão.

O *Guia do Mochileiro das Galáxias* passa levemente por cima dessas complexidades acadêmicas, parando apenas para notar que o termo "Pretérito Perfeito" foi abandonado depois que se descobriu que não era assim.

Resumindo:

O Restaurante no Fim do Universo é um dos acontecimentos mais extraordinários em toda a história dos restaurantes.

Foi construído a partir dos restos fragmentários de um planeta em ruínas que se encontra (tereria sendo se encontraraído) fechado numa vasta bolha de tempo e projetado em direção ao futuro até o exato momento preciso do fim do Universo.

Muitos diriam que isso é impossível.

Nele, os fregueses sentam-se (terseão sentaído) nas mesas e comem (terseão comeído) suntuosas refeições enquanto contemplam (estararão contemplarearando) toda a criação explodir à sua volta.

Muitos diriam que isto é igualmente impossível.

Você pode chegar (poderaria chegarando em-quando) e se sentar em qualquer mesa que deseje sem reserva prévia (postero antequando) porque é possível fazer a reserva retrospectivamente, quando você voltar para seu próprio tempo (terá sido prepossível em-reservar paraquando antesmente retrovoltando antecasa).

Agora muitos insistiriam que isso é absolutamente impossível.

No Restaurante, você pode encontrar e jantar com (poderaria terendo encontrado paracom jantarando quando) um fascinante corte transversal de toda a população do espaço e do tempo.

Como pode ser pacientemente explicado, isso também é impossível.

Você pode comer lá quantas vezes quiser (poderaria tenrendo ido re-ido... etc., etc. – para maiores informações sobre correção dos tempos verbais, consulte o livro do Dr. Streetmentioner) e ter a certeza de nunca encontrar consigo próprio, por causa do embaraço que isso costuma ocasionar.

Mesmo se o resto fosse verdadeiro, o que não acontece, isso é veementemente impossível, dizem os céticos.

Tudo o que você precisa fazer é depositar um centavo numa conta de poupança em sua própria era e, quando chegar ao Fim dos Tempos, o total de juros compostos acumulados significará que o preço astronômico de sua refeição já estará pago.

Muitos alegam que isto não só é completamente impossível como também claramente insano, e foi por isso que o pessoal de marketing do sistema estelar de Bastablon criou o slogan: "Se você fez seis coisas impossíveis esta manhã, por que não terminar seu dia com uma refeição em Milliways, o Restaurante no Fim do Universo?"

capítulo 16

No bar, Zaphod estava quase atingindo um estado de ameba. Já estava batendo uma cabeça na outra e seus sorrisos estavam fora de sincronismo. Estava miseravelmente feliz.

– Zaphod – disse Ford –, enquanto você ainda é capaz de falar, poderia me contar que fóton aconteceu com você? Por onde você andou? Por onde nós andamos? Nada demais, eu sei, mas é algo que eu gostaria de ver esclarecido.

A cabeça esquerda de Zaphod ficou sóbria, deixando a direita afundar ainda mais nas profundezas dos drinques.

– Pois é – disse –, eu estive por aí. Querem que eu encontre o homem que comanda o Universo, mas eu não estou muito a fim de encontrá-lo. Acho que esse cara não deve saber cozinhar.

Sua cabeça esquerda ficou olhando enquanto a direita dizia isso e concordou plenamente.

– É verdade – disse a cabeça número dois –, agora tome outro drinque.

Ford tomou outra Dinamite Pangaláctica, o drinque descrito como o equivalente alcoólico de ser assaltado – custa caro e faz mal à saúde. O que quer que tivesse acontecido, Ford decidiu, não interessava tanto assim.

– Escuta, Ford – disse Zaphod –, está tudo legal, tudo *froody*.

– Você quer dizer que está tudo sob controle.

– Não – disse Zaphod –, eu não quero dizer que está tudo sob controle. Isso não seria legal nem *froody*. Se você quer realmente saber o que ocorreu, digamos apenas que a situação estava toda sob controle. Mais especificamente, em controle do meu bolso. OK?

Ford sacudiu os ombros.

Zaphod sorriu para sua bebida. Ela desceu pelo copo e começou a escorrer pelo balcão de mármore.

Um cigano celestial de pele escura aproximou-se deles tocando violino elétrico até que Zaphod lhe deu muito dinheiro e ele concordou em ir embora.

O cigano aproximou-se de Trillian e Arthur, que estavam sentados em outro ponto do bar.

– Não sei que lugar é este – disse Arthur –, mas me dá arrepios.

– Tome outro drinque – disse Trillian –, divirta-se.

– Qual dos dois? – disse Arthur. – São mutuamente excludentes.

– Pobre Arthur, você realmente não foi feito para esta vida, não?

– Você chama isto de vida?

– Você está parecendo o Marvin.

– Marvin é o sujeito com maior clareza de visão que conheço atualmente. Como você acha que fazemos para nos livrarmos deste violinista?

O garçom aproximou-se.

– Sua mesa está pronta.

Visto de fora, de onde nunca é visto, o Restaurante se parece com uma reluzente estrela-do-mar sobre um pedaço de rocha esquecido. Cada um de seus braços abrigam os bares, as cozinhas, os geradores do campo de força, que protege toda a estrutura e o pedaço de planeta onde ele está instalado, e as Turbinas de Tempo, que movimentam lentamente toda a instalação de um lado para outro do momento crucial.

No centro fica o gigantesco domo de ouro, quase um globo completo, e era para esta área que Zaphod, Ford, Arthur e Trillian se dirigiam agora.

Pelo menos cinco toneladas de materiais brilhosos haviam entrado ali antes deles e coberto todas as superfícies disponíveis. As outras superfícies não estavam disponíveis porque já estavam incrustadas com jóias, conchas marinhas preciosas de Santraginus, folhas de ouro, mosaicos de azulejos, peles de lagarto e um milhão de adornos e decorações impossíveis de identificar. O vidro brilhava, a prata reluzia, o ouro cintilava e Arthur Dent arregalava os olhos.

– Uau – disse Zaphod –, suparimpar!

– Incrível – suspirou Arthur –, as pessoas...! As coisas...!

– As coisas – disse Ford Prefect baixinho – também são pessoas.

– As pessoas... – corrigiu Arthur –, as... outras pessoas...

– As luzes...! – disse Trillian.

– As mesas...! – disse Arthur.

– As roupas...! – disse Trillian.

O garçom achou que eles pareciam um bando de caipiras.

– O Fim do Universo é muito popular – disse Zaphod cambaleando pelo labirinto de mesas, algumas feitas de mármore, outras de rico ultramogno, algumas até de platina, e em cada uma havia um grupo de criaturas exóticas conversando entre si e examinando o cardápio.

– As pessoas gostam de se produzir para vir aqui – continuou Zaphod. – Faz com que pareça ser uma ocasião especial.

As mesas estavam dispostas em um grande círculo em torno de um palco central onde uma pequena orquestra tocava música suave. Arthur chutava que havia pelo menos mil mesas, e entre elas palmeiras decorativas, fontes murmurantes, estatuetas grotescas, enfim, toda a parafernália geralmente encontrada nos restaurantes em que se economizou muito pouco para dar a impressão de que não se economizou nem um pouco. Arthur olhou ao redor, quase esperando encontrar alguém fazendo propaganda de algum cartão de crédito.

Zaphod tropeçou em Ford, que tropeçou de volta em Zaphod.

– Ai! – disse Zaphod.

– Zork – exclamou Ford.

– Meu bisavô deve ter realmente detonado o computador, sabe – disse Zaphod. – Eu disse para ele nos levar ao lugar mais próximo para comer e ele nos manda para o Fim do Universo. Lembre-me de ser legal com ele. Algum dia.

Fez uma pausa.

– Ei, está todo mundo aqui, sabia? Todo mundo que foi alguém.

– Foi? – disse Arthur.

– No Fim do Universo você tem que usar bastante o pretérito – disse Zaphod – porque tudo já foi feito, sabe. Oi, rapazes! – acenou para um grupo de iguanas gigantes. – Como estão?

– Este é Zaphod Beeblebrox? – perguntou um iguana ao outro.

– Acho que sim – respondeu o outro iguana.

– Cada maluco que aparece – disse o primeiro iguana.

– A vida é um troço estranho – disse o segundo iguana.

– É apenas o que fazemos dela – disse o primeiro, e mergulharam de volta em silêncio. Estavam esperando o maior show do Universo.

– Ei, Zaphod – disse Ford, tentando agarrar seu braço e, por conta da terceira Dinamite Pangaláctica, errando o alvo. Apontou algo com um dedo oscilante.

– Ali está um velho colega meu – disse. – Hotblack Desiato! Está vendo aquele cara na mesa de platina, com um terno de platina?

Zaphod tentou acompanhar o dedo de Ford com os olhos, mas isso o deixou tonto. Por fim conseguiu achar.

– Ah, é mesmo! – disse, e um pouco depois se lembrou de quem era. – Ei, esse cara realmente foi o megamáximo! Uau! Maior do que o maior de todos. Sem contar eu mesmo, é claro.

– Quem é? – perguntou Trillian.

– Hotblack Desiato? – disse Zaphod, espantado. – Você não o conhece? Nunca ouviu falar do Disaster Area?

– Não – disse Trillian.

– A maior – disse Ford –, a mais barulhenta...

– A mais rica... – acrescentou Zaphod.

– ...banda de rock da história do... – procurou a palavra.

– ...da história em si – disse Zaphod.

– Não conheço – disse Trillian.

– Psssst! – disse Zaphod. – Aqui estamos nós no Fim do Universo e você ainda nem viveu! Agora é tarde.

Ele a acompanhou até a mesa onde o garçom estava esperando todo esse tempo. Arthur os seguiu, sentindo-se muito perdido e solitário.

Ford vagava pelo mar de mesas para ir cumprimentar seu velho conhecido.

– Ei, e aí, Hotblack – falou –, como vão as coisas? Nem acredito que estou te vendo, velho amigo, como vai o som? Você está ótimo, realmente muito, muito gordo e fora de forma. – Deu uma palmada nas costas do homem e ficou um tanto surpreso por não receber resposta alguma. A Dinamite Pangaláctica correndo no seu sangue lhe disse para ir em frente mesmo assim. – Lembra dos velhos tempos? – disse. – Nós costumávamos sair juntos, não é? O Bistrô Ilegal, lembra? A Academia Garganta? O Bebedódromo Pervertido? Foram bons tempos, não?

Hotblack Desiato não manifestou nenhuma opinião quanto àqueles tempos terem sido bons ou não. Ford prosseguiu.

– E ficávamos com fome, dizíamos que éramos fiscais da saúde pública, você se lembra disso? E daí saíamos confiscando comidas e bebidas, até que a gente teve uma intoxicação alimentar. Ei, tinha também aquelas longas noites conversando e bebendo naqueles quartos fedorentos em cima do Café Lou em Vila Gretchen, Nova Betel, e você ficava sempre num quarto ao lado, tentando compor umas músicas na sua ajuitarra e nós todos odiávamos! Você dizia que não se importava, mas nós nos importávamos porque eram muito ruins. – O olhar de Ford começava a ficar embaçado. – E você dizia que não queria ser uma estrela – continuou na *trip* de nostalgia – porque desprezava as estrelas e celebridades. E eu, o Hadra, o Sulijoo dizíamos que não acreditávamos que você um dia chegaria lá, então não importava a mínima. E aí está você! Agora você compra sistemas estelares!

Virou-se e solicitou a atenção das mesas próximas.

– Eis aqui – disse – um homem que compra sistemas estelares!

Hotblack não fez qualquer tentativa de confirmar ou negar esse fato, e a atenção da audiência temporária desviou-se rapidamente.

– Acho que alguém está bêbado – murmurou um arbusto lilás para seu copo de vinho.

Ford cambaleou e deixou-se cair na cadeira em frente a Hotblack Desiato.

– Como é mesmo aquele seu número? – disse, enquanto tentava apoiar-se em uma garrafa que virou, por coincidência dentro de um copo que estava ao lado. Para não desperdiçar um acidente feliz, entornou o copo. – Aquele número impressionante – continuou –, como é mesmo? "Bwarm! Bwarm! Baderr!!", algo assim, e nos shows termina com uma nave indo de encontro ao sol, e você faz isso de verdade!

Ford socou seu punho contra a outra mão para ilustrar graficamente a coisa toda. Derrubou a garrafa outra vez.

– Nave! Sol! Zapt buuum! – gritou. – Quero dizer, pode esquecer essas coisas de laser, vocês e seu pessoal estão usando erupções e explosões solares! Ah, e que músicas horríveis.

Seus olhos seguiram a trilha líquida escorrendo para fora da garrafa em cima da mesa. "Algo precisava ser feito a esse respeito", pensou.

– Ei, você quer um drinque? – perguntou. Sua mente começou a notar vagamente que estava faltando algo naquela reunião e que essa coisa que estava faltando tinha uma certa relação com o fato de aquele sujeito gorducho sentado à sua frente usando um terno de platina ainda não ter dito "Oi, Ford" ou "Que bom te ver após tanto tempo", nem qualquer outra coisa no gênero. Para ser mais exato, ele não tinha nem se mexido.

– Hotblack? – disse Ford.

Uma imensa mão carnuda pousou sobre seu ombro pelas costas e o puxou para o lado. Ele caiu todo torto de sua cadeira e olhou para cima para ver se podia localizar o dono daquela mão descortês. O dono não era difícil de se localizar, pois tinha mais de dois metros de altura e uma constituição bastante robusta. Na verdade, tinha a constituição de um sofá de couro, lustroso, pesado e solidamente recheado. O terno em que o corpo desse homem estava enfiado parecia ter como único propósito na vida demonstrar como é difícil colocar um corpo desse tipo dentro de um terno. O rosto tinha a textura de uma laranja e a cor de uma maçã, mas as semelhanças com as coisas doces acabavam por aí.

– Rapaz... – disse uma voz que emergia da boca do homem como se tivesse passado por maus bocados em seu peito.

– Ah, sim? – disse Ford informalmente. Estava novamente sobre seus pés e ficou desapontado ao perceber quão baixa sua cabeça ficava em relação ao corpo do homem.

– Cai fora – disse o homem.

– Ah, é? – disse Ford, pensando se estava ou não sendo sensato. – E quem é você?

O homem ponderou a questão por um instante. Não estava acostumado que lhe fizessem esse tipo de pergunta. Mesmo assim, depois de alguns momentos, pensou em uma resposta.

– Eu sou o cara que está te dizendo para cair fora – disse – antes que te coloquem para fora da pior maneira.

– Olha, escuta aqui – disse Ford, nervoso; gostaria que sua cabeça parasse de girar, ficasse quieta e desse conta da situação. – Agora, escute – prosseguiu –, eu sou um dos amigos mais antigos de Hotblack e...

Olhou de soslaio para Hotblack Desiato, que ainda não tinha mexido nem uma pestana.

– ...e... – disse Ford outra vez, pensando no que seria uma boa palavra a dizer depois desse "e".

O grandalhão tinha uma frase inteira para dizer depois de "e".

– E eu sou o guarda-costas do senhor Desiato – começava a frase –, e sou responsável pela integridade das costas dele, e não sou responsável pela integridade das suas, então tire-as daqui antes que se danifiquem.

– Espere um minuto – disse Ford.

– Nenhum minuto! – rugiu o guarda-costas. – Nenhuma espera! O senhor Desiato não fala com ninguém!

– Bom, talvez você possa deixar ele mesmo dizer o que acha do assunto – disse Ford.

– Ele não fala com ninguém! – bramiu o guarda-costas.

Ford olhou ansiosamente para Hotblack outra vez e foi forçado a admitir que o guarda-costas estava com os fatos a seu favor. Não havia o menor sinal de movimento em Hotblack, muito menos interesse quanto ao bem-estar de Ford.

– Por quê? – disse Ford. – O que há de errado com ele?

O guarda-costas lhe contou.

capítulo 17

O *Guia do Mochileiro das Galáxias* diz que a Disaster Area, uma banda de rock plutoniano das Zonas Mentais de Gagrakacka, é geralmente tida não apenas como a mais barulhenta de toda a Galáxia, mas também como o maior de todos os barulhos. Os freqüentadores habituais dos shows dizem que o melhor lugar para se ouvir um bom som é dentro de grandes bunkers de concreto a uns 60 quilômetros do palco, enquanto os músicos em si tocam os instrumentos por controle remoto a partir de uma espaçonave altamente isolada que fica em órbita em torno do planeta – ou, mais freqüentemente, em torno de um planeta completamente diferente.

Suas músicas são no geral bastante simples e a maioria segue o tema familiar do ser-masculino que encontra um ser-feminino sob uma lua prateada, que depois explode sem nenhum motivo aparente.

Muitos planetas já baniram suas apresentações, algumas vezes por razões artísticas, mas em geral pelo fato do equipamento de som da banda infringir os tratados locais de limitação de armas estratégicas.

Isso não impediu, no entanto, que o dinheiro ganho por eles tenha ampliado os limites da hipermatemática pura, e seu pesquisador-chefe de contabilidade foi recentemente nomeado para a cátedra de Neomatemática da Universidade de Maximegalon, em reconhecimento por suas Teorias Geral e Restrita das Devoluções de Impostos do Disaster Area, nas quais ele prova que toda a geometria do contínuo espaço-tempo não está apenas curva, mas completamente contorcida.

Ford cambaleou de volta à mesa em que Zaphod, Arthur e Trillian estavam sentados.

– Preciso comer alguma coisa – disse Ford.

– E aí, Ford – disse Zaphod –, falou com o grande homem do ruído?

Ford sacudiu a cabeça de forma confusa.

– Hotblack? É, eu falei mais ou menos com ele, sim.

– O que ele disse?

– Bom, não muita coisa, na prática. Ele está... ahn...

– Ahn?

– Ele está morto durante um ano por questões de imposto. Preciso sentar.

Sentou-se.

Veio o garçom.

– Gostariam de olhar o cardápio? – disse ele. – Ou gostariam de ser apresentados ao Prato do Dia?

– Como? – disse Ford.

– Como? – disse Arthur.

– Como? – disse Trillian.

– É isso aí – disse Zaphod. – Apresente o prato.

Numa salinha num dos braços do complexo do Restaurante, uma figura alta, magra e desengonçada afastou uma cortina e o aniquilamento o olhou no rosto.

Não era um rosto bonito, talvez porque o aniquilamento o tivesse olhado tantas vezes. Era comprido demais, para começar. Os olhos eram fundos demais e as faces, cavernosas. Os lábios eram finos demais e compridos demais, e, quando se abriam, seus dentes se pareciam demais com uma grade recentemente polida. As mãos que seguravam a cortina também eram longas e magras demais; e frias, além disso. Pousavam levemente nas dobras da cortina e davam a impressão de que, se ele não as vigiasse constantemente, elas se arrastariam por conta própria e fariam algo indizível em um canto.

Deixou cair a cortina e a luz pavorosa que havia coberto seu rosto foi cobrir algum outro lugar. Rondou furtivamente por sua pequena sala como um louva-a-deus à espreita de uma presa noturna e finalmente sentou-se num banquinho diante de um cavalete, onde folheou algumas páginas de piadas.

Uma campainha tocou.

Empurrou os papéis para o canto e levantou-se. Ajeitou parte dos milhões de lantejoulas que recobriam seu paletó e saiu.

As luzes do Restaurante diminuíram, a banda tocou mais rápido, um único feixe de luz iluminou a escadaria que levava ao centro do palco.

Subindo a escada surgiu uma figura alta, em cores cintilantes. Caminhou animadamente até o palco, tirou o microfone de seu pedestal e parou por instantes para agradecer os aplausos da platéia, exibindo para todos seu sorriso de grade. Acenou para alguns amigos particulares na platéia, embora não houvesse nenhum, e esperou que os aplausos terminassem.

Levantou uma das mãos e abriu um sorriso que não apenas cortava seu rosto de uma orelha a outra, mas na verdade parecia ir um pouco além dos limites de seu rosto.

– Obrigado, senhoras e senhores! – exclamou. – Muito obrigado! Muitíssimo obrigado!

Olhava para todos com um olhar brilhante.

– Senhoras e senhores – disse –, o Universo, tal como o conhecemos, existe há mais de 170 mil milhões de bilhões de anos e acabará dentro de meia hora. Sejam todos bem-vindos ao Milliways, o Restaurante no Fim do Universo!

Com um gesto, arrancou habilmente mais uma rodada de aplausos espontâneos. Com outro gesto, cortou os aplausos.

– Serei seu anfitrião esta noite – disse. – Meu nome é Max Quordlepleen... (Todo mundo sabia disso, era famoso em toda a Galáxia, mas dizia aquilo pelos aplausos que sempre desencadeava e que ele agradecia com um aceno e um sorriso de quem não faz mais que a obrigação.) ...e acabo de chegar diretamente do extremo oposto do tempo, de um espetáculo no Big Bang Burger Bar, onde tivemos uma noite realmente empolgante, e agora estarei com vocês nesta ocasião histórica: o Fim da História em si!

Mais uma salva de palmas, que se aquietaram assim que as luzes diminuíram ainda mais. Em cada mesa velas se acenderam automaticamente, para a surpresa dos presentes, envolvendo-os em milhares de luzinhas cintilantes e milhões de sombras íntimas. Um frenesi de expectativa percorreu o Restaurante escurecido quando o enorme domo dourado acima deles começou lentamente a se obscurecer, a se apagar, a desaparecer.

Max prosseguiu com uma voz sussurrada.

– Então, senhoras e senhores – suspirou –, as velas estão acesas, a orquestra toca suavemente, e enquanto o domo que nos envolve, protegido por um campo de força, vai se tornando transparente, revelando um céu escuro e soturno com a luz ancestral de lívidas estrelas engolidas, vejo que estamos prestes a ter um fantástico apocalipse esta noite!

Até a suave melodia da orquestra desapareceu quando um choque atordoante tomou conta de todos aqueles que nunca tinham estado lá.

Uma luz medonha e monstruosa derramou-se sobre eles.

Uma luz abominável.

Uma luz fervente, pestilenta.

Uma luz que teria desfigurado o inferno.

O Universo estava chegando ao fim.

Por poucos porém intermináveis segundos o Restaurante girou silenciosamente pelo vazio que se alastrava. Então Max voltou a falar.

– Para todos vocês que algum dia já tentaram ver a luz no fim do túnel, aí está ela.

A banda voltou a tocar.

– Obrigado, senhoras e senhores – gritou Max –, estarei de volta com vocês dentro de instantes, e por enquanto fiquem com o extraordinário som de Reg Nullify e sua Banda Cataclismática! Vamos aplaudir, senhoras e senhores!

O funesto turbilhão dos céus continuava.

Hesitante, a platéia começou a bater palmas e pouco depois todos voltaram a conversar novamente. Max iniciou sua volta pelas mesas, soltando piadas, dando gargalhadas, fazendo seu papel.

Um imenso animal leiteiro aproximou-se da mesa de Zaphod Beeblebrox. Era um enorme e gordo quadrúpede do tipo bovino, com grandes olhos protuberantes, chifres pequenos e um sorriso nos lábios que era quase simpático.

– Boa noite – abaixou-se e sentou-se pesadamente sobre suas ancas –, sou o Prato do Dia. Posso sugerir-lhes algumas partes do meu corpo? – Grunhiu um pouco, remexeu seus quartos traseiros buscando uma posição mais confortável e olhou pacificamente para eles.

Seu olhar se deparou com olhares de total perplexidade de Arthur e Trillian, uma certa indiferença de Ford Prefect e a fome desesperada de Zaphod Beeblebrox.

– Alguma parte do ombro, talvez? – sugeriu o animal. – Um guisado com molho de vinho branco?

– Ahn, do seu ombro? – disse Arthur, sussurrando horrorizado.

– Naturalmente que é do meu ombro, senhor – mugiu o animal, satisfeito –, só tenho o meu para oferecer.

Zaphod levantou-se de um salto e pôs-se a apalpar e sentir os ombros do animal, apreciando.

– Ou a alcatra, que também é muito boa – murmurou o animal. – Tenho feito exercícios e comido cereais, de forma que há bastante carne boa ali. – Deu um grunhido brando e começou a ruminar. Engoliu mais uma vez o bolo alimentar. – Ou um ensopado de mim, quem sabe? – acrescentou.

– Você quer dizer que este animal realmente quer que a gente o coma? – cochichou Trillian para Ford.

– Eu? – disse Ford com um olhar vidrado. – Eu não quero dizer nada.

– Isso é absolutamente horrível – exclamou Arthur –, a coisa mais repugnante que já ouvi.

– Qual é o problema, terráqueo? – disse Zaphod, que agora observava atentamente o enorme traseiro do animal.

– Eu simplesmente não quero comer um animal que está na minha frente se oferecendo para ser morto – disse Arthur. – É cruel!

– Melhor do que comer um animal que não deseja ser comido – disse Zaphod.

– Não é essa a questão – protestou Arthur. Depois pensou um pouco mais a respeito. – Está bem – disse –, talvez essa seja a questão. Não me importa, não vou pensar nisso agora. Eu só... ahn...

O Universo enfurecia-se em espasmos mortais.

– Acho que vou pedir uma salada – murmurou.

– Posso sugerir que o senhor pense na hipótese de comer meu fígado? Deve estar saboroso e macio agora, eu mesmo tenho me mantido em alimentação forçada há meses.

– Uma salada verde – disse Arthur, decididamente.

– Uma salada? – disse o animal, lançando um olhar de recriminação para ele.

– Você vai me dizer – disse Arthur – que eu não deveria comer uma salada?

– Bem – disse o animal –, conheço muitos legumes que têm um ponto de vista muito forte a esse respeito. E é por isso, aliás, que por fim decidiram resolver de uma vez por todas essa questão complexa e criaram um animal que realmente quisesse ser comido e que fosse capaz de dizê-lo em alto e bom-tom. Aqui estou eu!

Conseguiu inclinar-se ligeiramente, fazendo uma leve saudação.

– Um copo d'água, por favor – disse Arthur.

– Olha – disse Zaphod –, nós queremos comer, não queremos uma discussão. Quatro filés malpassados, e depressa. Faz 576 bilhões de anos que não comemos.

O animal levantou-se. Deu um grunhido brando.

– Uma escolha muito acertada, senhor, se me permite. Muito bem – disse –, agora é só eu sair e me matar.

Voltou-se para Arthur e deu uma piscadela amigável.

– Não se preocupe, senhor, farei isso com bastante humanidade.

Encaminhou-se gingando para a cozinha.

Pouco tempo depois o garçom apareceu com quatro enormes filés fumegantes. Zaphod e Ford avançaram sobre ele sem pensar duas vezes. Trillian pensou, sacudiu os ombros e se serviu.

Arthur olhou para o céu, sentindo-se levemente enjoado.

– Ei, terráqueo – disse Zaphod, com um sorriso malicioso na boca que não estava se empanturrando –, que bicho te mordeu?

E a banda continuava tocando.

Por todo o Restaurante as pessoas e coisas relaxavam e batiam papo. O ar estava repleto de conversas variadas e com as essências mescladas de plantas exóticas, comidas extravagantes e vinhos sedutores. Por um número infinito de quilômetros, em todas as direções, o cataclismo universal aproximava-se de um clímax estrondoso. Dando uma olhada no relógio, Max voltou ao palco num floreio.

– E agora, senhoras e senhores – exclamou, radiante –, estão todos se divertindo nesses últimos momentos maravilhosos?

– Sim – gritou o tipo de gente que grita "sim" quando o comediante pergunta se as pessoas estão se divertindo.

– Isso é maravilhoso – disse Max, entusiasmado –, absolutamente maravilhoso! E enquanto as tempestades de fótons se juntam em turbilhões ao nosso redor, preparando-se para rasgar em pedaços a última das estrelas anãs vermelhas, sei que todos irão me acompanhar e apreciar intensamente aquilo que todos acharemos uma experiência imensamente empolgante e... terminal.

Fez uma pausa. Voltou-se para a platéia com um olhar penetrante.

– Acreditem, senhoras e senhores, dessa vez não haverá uma segunda chance.

Fez outra pausa. Esta noite seu senso de oportunidade estava irretocável. Diversas vezes tinha conduzido esse espetáculo, noite após noite. Não que a palavra noite tivesse algum significado ali, na extremidade do tempo. Tudo o que havia era a incessante repetição do momento final, enquanto o Restaurante se deslocava lentamente para além dos limites do tempo e retornava outra vez. Ainda assim, esta "noite" estava boa, a platéia dançava na palma de sua mão astuciosa. Reduziu ainda mais sua voz, e todos fizeram silêncio para ouvi-lo.

– Isto, senhoras e senhores, é realmente o fim absoluto, a gélida desolação final na qual se extingue o sopro majestoso da criação.

Baixou ainda mais a voz. Em meio ao completo silêncio, nem uma mosca teria ousado tossir.

– Depois disto – continuou – não há nada. Vazio. Apagamento. Esquecimento. Absolutamente nada.

Seus olhos brilharam mais uma vez – ou teriam piscado?

– Nada... a não ser, é claro, o carrinho de sobremesas e uma fina seleção de licores de Aldebaran!

A banda tocou um acorde para pontuar. Ele preferia que não fizessem isso, não precisava daquilo, não um artista de seu calibre. Podia tocar a platéia como se fossem seus instrumentos. A platéia estava rindo, aliviada. Ele prosseguiu.

– E pelo menos desta vez – gritou animadamente – vocês não precisam se preocupar com a ressaca do dia seguinte, porque não haverá um dia seguinte!

Sorriu, radiante, para sua platéia feliz e risonha. Deu uma olhada para o céu, que seguia toda noite a mesma rotina mortiça, mas a olhada não durou mais que uma fração de segundo. Ele confiava que o céu faria sua parte como um profissional confia no outro.

– E agora – disse ele, pavoneando pelo palco –, tentando não diminuir o maravilhoso clima de frivolidade e apocalipse desta noite, gostaria de saudar alguns daqueles que estão entre nós.

Tirou um cartão do bolso.

– Temos... – ergueu uma mão para pedir silêncio à platéia, que ovacionava. – Temos um grupo do Clube de Bridge Zansellquasure Flamarion, vindos de além do Vortvoid de Qvarne? Estão aqui?

Um pessoal animado se manifestou lá no fundo, mas ele fingiu que não tinha ouvido. Continuou olhando em volta do salão.

– Vocês estão aqui? – perguntou de novo, para obter mais aplausos.

Conseguiu, como sempre conseguia.

– Ah, lá estão eles. Bem, última rodada, pessoal. E sem trapaças, lembrem-se de que este é um momento muito solene.

Sorveu as gargalhadas com prazer.

– E temos também, nós temos... um grupo de divindades menores de Asgard?

À sua direita ecoou um trovão. Um relâmpago cortou o palco. Um pequeno grupo de homens cabeludos de capacetes estavam sentados felizes da vida e levantaram seus copos para ele.

"Decadentes", pensou com seus botões.

– Cuidado com esse martelo, cavalheiro – disse.

Fizeram sua brincadeirinha do raio de novo. Max sorriu para eles educadamente.

– Em seguida – disse –, temos um grupo de Jovens Conservadores de Sírius B. Estão aqui?

Um grupo de jovens cães elegantemente vestidos parou de jogar papéis amassados uns nos outros e começou a jogar papéis amassados no palco. Latiam e ganiam ininteligivelmente.

– Sim – disse Max –, é tudo culpa de vocês, e vocês sabem disso, não? E finalmente – continuou Max, aquietando a platéia e assumindo uma expressão solene –, finalmente creio que temos aqui conosco um grupo de fiéis, fiéis muito devotados da Igreja da Segunda Vinda do Grande Profeta Zarquon.

Havia cerca de 20 deles, sentados no chão, vestidos como ascetas, bebendo água mineral nervosamente e permanecendo alheios às festividades. Piscaram, ressentidos, quando as luzes foram apontadas para eles.

– Lá estão eles – disse Max –, sentados ali, pacientemente. Ele disse que viria de novo, e deixou vocês esperando por muito tempo, então vamos esperar que ele se apresse, pessoal, porque ele só tem mais oito minutos!

O grupo de seguidores de Zarquon permaneceu rígido e imóvel, não se importando com as gargalhadas zombeteiras dirigidas a eles.

Max conteve sua platéia.

– Não, mas falando sério agora, pessoal, sem nenhuma intenção de ofender. Não, sei que não devemos brincar com as crenças profundas das pessoas. Uma salva de palmas para o Grande Profeta Zarquon...

A platéia aplaudiu respeitosamente.

– ...onde quer que esteja!

Mandou um beijo para o grupo de rostos impávidos e retornou ao centro do palco.

Pegou um banco alto e se sentou.

– É maravilhoso – continuou – ver todos vocês aqui esta noite. Sim, absolutamente maravilhoso. Porque sei que muitos de vocês vêm aqui diversas vezes, o que eu acho realmente fantástico, vir aqui e assistir ao fim de tudo, e então retornar para casa, para suas próprias eras... e construir famílias, lutar por novas e melhores sociedades, combater em guerras terríveis em nome do que vocês acham certo... isso realmente nos traz esperança no futuro de todos os viventes. A não ser, é claro – e apontou para o redemoinho que relampejava acima e ao redor deles –, pelo fato de sabermos que não haverá futuro algum...

Arthur voltou-se para Ford. Ainda não tinha conseguido entender muito bem como funcionava aquele lugar.

– Olha – disse –, se o Universo está para acabar... não vamos desaparecer junto com ele?

Ford dirigiu-lhe um olhar bastante incerto, vindo do fundo de três Dinamites Pangalácticas.

– Não – respondeu. – Olha – disse –, assim que você chega aqui, fica cercado por esse negócio incrível, que é um campo de força de dobra temporal. Eu acho.

– Ah – disse Arthur. Voltou sua atenção para o prato de sopa que tinha conseguido pedir ao garçom em troca do bife.

– Olha – disse Ford – Vou te mostrar.

Pegou um guardanapo da mesa e tentou usá-lo, sem o menor sucesso, para fazer algum tipo de demonstração.

– Olha – disse outra vez. – Imagine este guardanapo, certo, como sendo o Universo temporal, certo? E esta colher como um modo transducional na curvatura da matéria...

Levou um tempo para ele dizer essa última parte, e Arthur lamentou interrompê-lo.

– Esta é a colher com que eu estava comendo – disse.

– Tá bom – disse Ford. – Imagine então esta colher... – encontrou uma colher de madeira numa bandeja de aperitivos – esta colher... – mas se atrapalhou todo para pegar a tal colher – não, melhor ainda, este garfo...

– Ei, quer largar meu garfo – disse Zaphod, asperamente.

– Tá bom – disse Ford –, tá bom, tá bom. Então vamos supor que este copo de vinho é o Universo temporal...

– Qual? Esse que você acabou de derrubar no chão?

– Eu derrubei?

– Derrubou.

– Tá bom – disse Ford –, esquece. Quer dizer... quer dizer, olha, você tem alguma idéia de como o Universo realmente começou?

– Provavelmente não – disse Arthur, que a essa altura preferia não ter perguntado nada.

– Tá bom – disse Ford –, imagine isso. Certo. Você tem uma banheira. Uma banheira redonda bem grande. Feita de ébano.

– De onde vem a banheira? – disse Arthur. – As lojas Harrods foram destruídas pelos vogons.

– Não importa.

– Então vai em frente.

– Escuta.

– Tudo bem.

– Você tem essa banheira, certo? Imagine que você tem essa banheira. E é de ébano. E é cônica.

– Cônica? – disse Arthur. – Que tipo de ...

– Psiu – disse Ford. – É cônica. Então o que você faz, entende, você enche a banheira de areia branca e fina, certo? Ou açúcar. Areia branca e fina e/ou açúcar. Tanto faz. Não importa. Pode ser açúcar. E, quando estiver cheia, você puxa a tampa... tá me ouvindo?

– Estou ouvindo.

– Você puxa a tampa e tudo vai escorrendo num redemoinho, vai escorrendo, sabe, pelo ralo.

– Saquei.

– Você não sacou. Você não sacou nada. Eu ainda não cheguei à parte interessante. Quer ouvir a parte interessante?

– Vamos lá, me diz qual é a parte interessante.

– Vou te contar a parte interessante.

Ford pensou por um momento, tentando lembrar qual era a parte interessante.

– A parte interessante – disse – é essa. Você filma a coisa toda enquanto está acontecendo.

– Interessante – concordou Arthur.

– Não, essa não é a parte interessante. O que vem depois é a parte interessante, agora me lembrei da parte realmente interessante. Você manda passar o filme... ao contrário!

– De trás para a frente?

– É. Passar o filme de trás para a frente é definitivamente a parte interessante. Aí você senta e fica assistindo, e parece que está tudo subindo em espiral pelo ralo e enchendo a banheira. Entendeu?

– E foi assim que o Universo começou? – disse Arthur.

– Não – disse Ford –, mas é um jeito maravilhoso de relaxar.

Procurou seu copo de vinho.

– Cadê meu copo de vinho? – perguntou.

– Está no chão.

– Ah.

Ao afastar a cadeira para trás para procurar o copo, Ford colidiu com o garçonzinho verde que se aproximava da mesa carregando um telefone sem fio.

Ford pediu desculpas ao garçom pela trombada e disse que era porque ele estava extremamente bêbado.

O garçom disse que tudo estava bem e que ele entendia perfeitamente.

Ford agradeceu ao garçom por sua simpática indulgência, tentou puxá-lo pelo topete, mas errou por 20 centímetros e foi parar embaixo da mesa.

– Sr. Zaphod Beeblebrox? – perguntou o garçom.

– Sim? – disse Zaphod, olhando por cima de seu terceiro filé.

– Um telefonema para o senhor.

– Ah?

– Um telefonema, senhor.

– Para mim? Aqui? Ei, mas quem é que sabe que eu estou aqui?

Uma de suas mentes começou a pensar furiosamente. A outra continuou cuidando da comida.

– Você não se importa se eu continuar, não é? – disse sua cabeça que devorava o terceiro filé, e continuou.

A essa altura havia tanta gente em seu encalço que já tinha perdido a conta. Não devia ter feito uma entrada tão chamativa. "Bem, e por que não?", pensou. Como é que você vai saber se está se divertindo se não houver ninguém olhando na hora?

– Talvez alguém aqui tenha ligado para a Polícia Galáctica – disse Trillian. – Todo mundo te viu entrando.

– Quer dizer que eles querem me prender pelo telefone? – disse Zaphod. – Pode ser. Sou um cara de alta periculosidade quando fico irritado.

– É – disse uma voz debaixo da mesa. – Você se despedaça tão rápido que as pessoas são atingidas pelos estilhaços.

– Ei, o que é isso? O dia do Juízo Final? – disse Zaphod.

– Nós também vamos ver essa parte? – disse Arthur, nervoso.

– Não estou com muita pressa – murmurou Zaphod. – OK, então quem é esse cara ao telefone? – Deu um chute em Ford. – Ei, levanta aí, garotão, pode ser que eu precise de você.

– Não conheço pessoalmente – disse o garçom – o cavalheiro metálico em questão, senhor...

– Metálico?

– Sim, senhor.

– Você disse metálico?

– Sim, senhor. Disse que não conheço pessoalmente o cavalheiro metálico em questão...

– OK, vá em frente.

– Mas fui informado de que ele está aguardando sua volta há um número considerável de milênios. Parece que o senhor saiu daqui um tanto repentinamente.

– Saí daqui? – disse Zaphod. – Você está louco? Acabamos de chegar.

– Certamente, senhor – persistiu obstinadamente o garçom –, mas, antes de chegar, me parece que o senhor havia saído daqui.

Zaphod jogou esse pensamento para um cérebro, depois para o outro.

– Você está dizendo que, antes de chegarmos aqui, tínhamos saído daqui?

"Essa vai ser uma daquelas noites", pensou o garçom.

– Exatamente, senhor – disse ele.

– Acho melhor você começar a pagar uma grana adicional para o seu analista!

– Não, espere um minuto – disse Ford, saindo debaixo da mesa. – Onde estamos exatamente?

– Para ser absolutamente exato, senhor, este é o planeta Frogstar B.

– Mas nós acabamos de sair de lá – protestou Zaphod. – Saímos de lá e viemos ao Restaurante no Fim do Universo.

– Sim, senhor – disse o garçom, sentindo que agora tinha novamente as coisas sob controle e estava indo bem –, um foi construído sobre as ruínas do outro.

– Oh – disse Arthur, subitamente iluminado –, quer dizer que viajamos no tempo, mas não no espaço.

– Escute, seu símio semi-evoluído – cortou Zaphod –, por que você não vai trepar numa árvore?

Arthur ficou furioso.

– Vá arrebentar suas duas cabeças, quatro-olhos – respondeu para Zaphod.

– Não, não – disse o garçom para Zaphod –, o símio está certo, senhor.

Arthur gaguejou irritado e não disse nada de muito coerente.

– Vocês viajaram para o futuro... creio que 576 bilhões de anos, mas permaneceram no mesmo lugar – explicou o garçom. Ele sorriu. Tinha a maravilhosa sensação de que tinha vencido uma batalha impossível.

– É isso! – exclamou Zaphod. – Entendi. Mandei o computador nos levar para o lugar mais próximo onde se pudesse comer e foi exatamente o que ele fez. Desconsiderando uns 576 bilhões de anos, não saímos do lugar. Genial.

Todos concordaram que tinha sido de fato genial.

– Mas quem – disse Zaphod – é esse cara ao telefone?

– O que será que aconteceu com Marvin? – disse Trillian.

Zaphod bateu com as mãos nas cabeças.

– O Andróide Paranóide! Eu o deixei se lamentando em Frogstar B.

– Quando foi isso?

– Bom, ahn, uns 576 bilhões de anos atrás, suponho – disse Zaphod. – Ei, me passa a linha, capitão.

As sobrancelhas do garçonzinho percorreram sua testa, enquanto ele olhava para Zaphod, confuso.

– Perdão, senhor?

– O telefone, garçom – disse Zaphod, arrancando-o de sua mão. – Putz, vocês são tão caretas...

– Certamente, senhor.

– Ei, Marvin, é você? – disse Zaphod ao telefone. – Como está, garotão?

Houve uma longa pausa até que uma voz soturna e baixa começasse a falar.

– Acho que você deveria saber que estou me sentindo muito deprimido.

Zaphod tampou o fone com a mão.

– É o Marvin – disse. Voltou a falar ao telefone. – Ei, Marvin, estamos nos divertindo muito. Comida, vinho, algumas agressões pessoais e o Universo sendo detonado. Onde podemos te encontrar?

Outra pausa.

– Você não precisa fingir que está interessado em mim, sabe – disse Marvin, por fim. – Sei perfeitamente bem que não passo de um robô desprezível.

– OK, OK, mas onde você está?

– "Reverta os propulsores primários, Marvin", é o que me dizem, "Abra a câmara de descompressão número três, Marvin", "Marvin, pode pegar aquele papel?". Se posso pegar aquele papel! Aqui estou eu, um cérebro do tamanho de um planeta e me pedem para...

– Certo, certo – disse Zaphod, se esforçando para parecer simpático.

– Mas estou bastante acostumado a ser humilhado – continuou Marvin com uma voz monótona. – Posso até enfiar a cabeça num balde d'água, se você quiser. Quer que eu enfie a cabeça num balde d'água? Tenho um aqui ao lado. Espere um minuto.

– Ei, Marvin... – interrompeu Zaphod, mas já era tarde. Ouviu ruídos patéticos de lata encharcada pelo telefone.

– O que ele está dizendo? – perguntou Trillian.

– Nada – disse Zaphod –, só ligou para esfriar sua cabeça conosco.

– Pronto – disse Marvin de volta, ainda um pouco borbulhante. – Espero que esteja satisfeito...

– Tá bom, tá bom – disse Zaphod –, agora dá para dizer onde você está?

– Estou no estacionamento – disse Marvin.

– No estacionamento? – disse Zaphod. – Fazendo o quê?

– Estacionando espaçonaves, claro.

– OK, fica frio que já estamos indo.

Zaphod saltou da mesa, desligou o telefone e escreveu "Hotblack Desiato" na conta.

– Vamos, pessoal – disse. – Marvin está no estacionamento. Vamos até lá.

– O que ele está fazendo no estacionamento? – perguntou Arthur.

– Estacionando espaçonaves, o que mais? Dããã.

– Mas, e o Fim do Universo? Vamos perder o grande momento.

– Eu já vi. É um lixo – disse Zaphod. – Nada além de um *gnab gib*.

– Um quê?

– O contrário de um big-bang. Vamos zarpar.

Quase ninguém prestou atenção neles enquanto atravessavam a aglomeração de mesas do Restaurante em direção à saída. Todos tinham seus olhos fixos nos horrores do céu.

– Há um efeito interessante – Max continuava dizendo – que pode ser visto no quadrante superior esquerdo do céu. Se vocês olharem com atenção, podem ver o sistema estelar de Hastromil derretendo-se em ultravioleta. Tem alguém aqui de Hastromil?

Houve uma ou duas manifestações hesitantes vindas de algum lugar lá no fundo.

– Bem – disse Max, sorrindo animadamente para eles –, agora é tarde para pensar se deixaram o gás aberto.

capítulo 18

O saguão de recepção estava praticamente vazio, mas mesmo assim Ford zanzava de um lado para o outro.

Zaphod puxou-o pelo braço e o enfiou num cubículo que ficava ao lado do hall de entrada.

– O que você está fazendo com ele? – perguntou Arthur.

– Estou deixando-o novamente sóbrio – disse Zaphod, que colocou uma moeda na máquina. Luzes piscaram, gases rodopiaram.

– Oi – disse Ford logo em seguida –, aonde estamos indo?

– Para o estacionamento, venha.

– Por que não usamos as unidades de Teleporte Temporal? – disse Ford. – Elas nos mandariam de volta para a Coração de Ouro.

– Eu sei, mas estou cheio daquela nave. Zarniwoop pode ficar com ela. Não quero continuar fazendo o jogo dele. Vamos ver o que arrumamos por aqui.

Um Transportador Vertical Feliz de Pessoas da Companhia Cibernética de Sírius levou-os até as camadas inferiores, abaixo do Restaurante. Ficaram contentes ao ver que ele tinha sido depredado, e, assim, não tentou fazer com que ficassem felizes além de levá-los para baixo.

No fundo do poço as portas se abriram e saíram em meio a um ar frio e parado.

A primeira coisa que viram ao sair do elevador foi uma longa parede de concreto contendo mais de 50 portas que ofereciam instalações sanitárias para as 50 principais formas de vida. Mesmo assim, como em todo estacionamento da Galáxia durante toda a história dos estacionamentos, este cheirava basicamente a impaciência.

Chegaram a uma esteira rolante que atravessava um vasto espaço cavernoso, estendendo-se a perder de vista.

O lugar era dividido em compartimentos, cada qual abrigando uma nave que pertencia a um freguês lá em cima, algumas das quais eram modelos populares, produzidos em massa, enquanto outras eram enormes e reluzentes limunavesines, brinquedos de milionários.

Os olhos de Zaphod brilhavam com algo que podia ou não ser cobiça conforme iam passando pelas naves. Na verdade, é melhor deixar isso bem claro – definitivamente era cobiça.

– Lá está ele – disse Trillian. – Olha o Marvin, logo ali.

Olharam para onde ela estava apontando. O robô estava um pouco mais à frente, esfregando displicentemente um pedaço de pano sobre um canto de uma nave prateada.

A curtos intervalos ao longo da esteira rolante, largos tubos transparentes levavam ao nível do chão. Zaphod entrou num deles e deslizou suavemente até o chão. Os outros o seguiram. Lembrando-se disso mais tarde, Arthur Dent achou que essa tinha sido a experiência mais agradável de todas as que teve durante suas viagens pela Galáxia.

– E aí, Marvin! – disse Zaphod, andando a passos largos em sua direção. – Ei, cara, fico feliz em vê-lo.

Marvin se virou, e à medida que é possível a um rosto metálico totalmente inerte devolver um olhar reprovador, foi isso que fez.

– Não, não fica – respondeu. – Ninguém nunca fica.

– Como quiser – disse Zaphod, virando-se para ir babar sobre as naves. Ford foi com ele.

Apenas Arthur e Trillian foram falar com Marvin.

– Não, nós ficamos, de verdade – disse Trillian, dando-lhe tapinhas de um modo que ele detestava intensamente. – Ficar aqui, assim, esperando a gente todo esse tempo.

– Quinhentos e setenta e seis bilhões, três mil quinhentos e setenta e nove anos – disse Marvin. – Contei todos eles.

– Bom, estamos aqui agora – disse Trillian, sentindo (com total razão, segundo Marvin) que isso era algo tolo para se dizer.

– Os primeiros dez milhões de anos foram os piores – disse Marvin. – Os segundos dez milhões de anos também foram os piores. Os terceiros dez milhões de anos não foram nada agradáveis. Depois disso eu entrei numa fase de decadência.

Fez uma pausa longa o bastante para que eles sentissem que deviam dizer alguma coisa e então interrompeu.

– São as pessoas com quem temos que lidar ao fazer esse trabalho que realmente nos chateiam – disse, e fez outra pausa dramática.

Trillian pigarreou.

– É mesmo...

– A melhor conversa que eu tive foi há mais de 40 milhões de anos – continuou Marvin.

Outra vez a pausa.

– Sei...

– E foi com uma máquina de fazer café.

Esperou.

– Isso é...

– Vocês não gostam de conversar comigo, não é? – disse Marvin num tom de voz desolado.

Trillian começou a conversar com Arthur.

Um pouco mais à frente, Ford Prefect encontrou uma coisa da qual ele gostou muito. Na verdade, muitas coisas assim.

– Zaphod – disse em voz de reverência –, dá uma olhada nestas máquinas envenenadas...

Zaphod olhou e gostou.

A nave para a qual estavam olhado era bem pequena, porém impressionante, e basicamente um brinquedo para garotões ricos. Não tinha nada demais vista de fora. Parecia-se muito com um dardo de papel de dez metros de comprimento feito de lâminas metálicas finas, mas resistentes. Na parte traseira havia uma pequena cabine para duas pessoas. Era impulsionada por um pequeno motor de partículas *charm* que não atingia grandes velocidades. A parte interessante, contudo, era seu dissipador.

O dissipador tinha uma massa de dois trilhões de toneladas e estava contido por um buraco negro instalado em um campo eletromagnético, que ficava situado na metade do comprimento da nave. Esse dissipador permitia que a nave fosse manobrada a poucos quilômetros de um sol amarelo, e a partir daí era possível surfar nas erupções solares que emanavam de sua superfície.

Surfar em erupções solares é um dos esportes mais exóticos e divertidos da existência, e aqueles que têm o dinheiro e a coragem para praticá-lo estão entre os homens mais admirados da Galáxia. Claro que também é um esporte formidavelmente perigoso. Aqueles que não morrem surfando invariavelmente morrem por exaustão sexual em uma das festas Pós-Erupções do Clube Dédalo.

Ford e Zaphod olharam a nave e seguiram em frente.

– E esta gracinha – disse Ford –, este bugre estelar abóbora com detalhes em preto?

O bugre estelar também era uma nave pequena. Aliás, esse nome era completamente inadequado, pois se havia uma coisa que aquela nave não era capaz de fazer era atravessar distâncias interestelares. Era basicamente um overcraft planetário maquiado para parecer algo mais. Seguiram em frente.

A nave seguinte era das grandes, 30 metros de comprimento – uma limunavesine, projetada obviamente com um único objetivo, que era matar de inveja quem a olhasse. A pintura e os acessórios diziam claramente: "Não apenas sou rico o bastante para ter esta nave como também sou bastante rico para não levá-la a sério." Era maravilhosamente abominável.

– Olhe só para isto – disse Zaphod. – Motores a quark em formação *multicluster*, estribos em perspulex. Deve ser uma versão personalizada por Lazlar Lyricon.

Examinou cada centímetro.

– Total! – exclamou. – Olhe, o emblema do lagarto em infrarosa no propulsor de neutrinos. A marca registrada de Lazlar. Esse cara não tem limites.

– Já fui ultrapassado por uma máquina dessas uma vez, na Nebulosa de Axel – disse Ford. – Eu estava no limite, e essa coisa me passou sem esforço algum, com o motor estelar em giro baixo. Inacreditável.

Zaphod assobiou, impressionado.

– Dez segundos depois – disse Ford – espatifou-se contra a terceira lua de Jaglan Beta.

– Sério?

– Uma nave linda, de qualquer forma. Parece um peixe, move-se como um peixe, manobra lindamente.

Ford olhou do outro lado.

– Ei, venha ver – chamou –, este lado está todo pintado. Um sol explodindo – a marca registrada do Disaster Area. Esta deve ser a nave de Hotblack. Sujeito sortudo. Eles sempre tocam uma música terrível, sabe, que termina com uma nave dublê arrebentando-se contra o sol. Foi pensado para ser um espetáculo impressionante. Na verdade, é impressionantemente caro em termos de naves dublês.

A atenção de Zaphod estava, porém, em outro lugar. Sua atenção estava fixa na nave estacionada ao lado da limunavesine de Hotblack Desiato. Seus dois queixos estavam caídos.

– Isso... – disse – ...isso deixa qualquer um cego.

Ford olhou. Ele também parou, perplexo.

Era uma nave de linhas simples, clássicas, como um salmão achatado, com 20 metros de comprimento e um design clean. Tinha apenas uma coisa de notável.

– É tão... negra! – disse Ford Prefect. – Quase não dá para perceber suas linhas... a luz parece sumir dentro dela!

Zaphod não disse nada. Ele estava apaixonado.

Sua negrura era tão extrema que era difícil dizer quão próxima ela estava.

– O olhar simplesmente desliza sobre ela... – dizia Ford, em êxtase. Era um momento de grande emoção. Ele mordeu os lábios.

Zaphod caminhou em direção a ela, lentamente, como um homem possuído – ou, mais exatamente, como um homem que deseja possuir. Estendeu sua mão para tocá-la. Sua mão parou. Estendeu sua mão para tocá-la. Sua mão parou outra vez.

– Venha sentir esta superfície – disse, num sussurro.

Ford estendeu a mão para tocá-la. Sua mão parou.

– Não... não dá – disse.

– Viu? – disse Zaphod. – É totalmente desprovida de atrito. Deve ser extremamente rápida...

Voltou-se para Ford e olhou para ele seriamente. Pelo menos foi o que fez uma de suas cabeças – a outra continuou olhando estupefata para a nave.

– O que você me diz, Ford?

– Você está pensando em... Bem... – Ford olhou para os lados. – Você está pensando em dar uma volta nela? Você acha que a gente deve?

– Não.

– Eu também não.

– Mas nós vamos, não vamos?

– E como não iríamos?

Admiraram um pouco mais, até que Zaphod se recompôs.

– É melhor zarparmos rápido – disse. – Daqui a pouco o Universo já vai ter acabado e todos os malucos vão descer aqui embaixo para pegar suas banheiras.

– Zaphod – disse Ford.

– O quê?

– Como vamos fazer?

– Simples – disse Zaphod. Virou-se. – Marvin! – gritou.

Vagarosamente, laboriosamente, e com um milhão de pequenos rangidos e estalos que ele tinha aprendido a simular, Marvin voltou-se para responder ao chamado.

– Venha cá – disse Zaphod –, temos um trabalho para você.

Marvin arrastou-se em direção a eles.

– Acho que não vou gostar – disse ele.

– Vai sim – disse Zaphod, entusiástico –, há toda uma nova vida à sua frente.

– Ah, outra não... – resmungou Marvin.

– Cale a boca e escute! – disse Zaphod. – Desta vez vai haver emoção e aventura e coisas realmente alucinantes.

– Parece horrível – respondeu Marvin.

– Marvin! Só estou pedindo que você...

– Suponho que você queira que eu abra esta espaçonave para você?

– O quê? Bom... é. Sim, é isso – disse Zaphod, apreensivo. Mantinha pelo menos três olhos nas portas de entrada. O tempo era curto.

– Bom, preferia que você tivesse me dito isso diretamente, em vez de tentar me animar – disse Marvin –, porque isso é impossível.

Caminhou até a nave, tocou-a e uma escotilha se abriu.

Ford e Zaphod olharam assombrados.

– Não precisam agradecer – disse Marvin. – Ah, vocês não agradeceram mesmo. – Foi embora, arrastando-se.

Arthur e Trillian juntaram-se a eles.

– O que está havendo? – perguntou Arthur.
– Olhe para isso – disse Ford –, olhe para o interior desta nave.
– Cada vez mais estranho! – murmurava Zaphod.
– É preto – disse Ford. – Tudo nela é totalmente preto.

No Restaurante, as coisas se aproximavam cada vez mais do momento após o qual não haveria mais momentos.

Os olhos de todos estavam fixos no domo, com exceção dos do guarda-costas de Hotblack Desiato, que estavam fixos em Hotblack Desiato, e os do próprio Hotblack Desiato, que o guarda-costas tinha fechado respeitosamente.

O guarda-costas inclinou-se sobre a mesa. Se Hotblack Desiato estivesse vivo, provavelmente teria achado que esse era um bom momento para inclinar-se para trás ou mesmo sair para dar uma volta. Seu guarda-costas não era um homem que ficasse bem em close. Devido a sua lamentável condição, porém, Hotblack Desiato permanecia totalmente inerte.

– Senhor Desiato? – sussurrou o guarda-costas. Sempre que ele falava parecia que os músculos dos dois lados de sua boca estavam passando uns por cima dos outros para abrir espaço.

– Senhor Desiato? O senhor está me ouvindo?

Hotblack Desiato naturalmente não disse nada.

– Hotblack? – sussurrou o guarda-costas.

Mais uma vez, naturalmente, Hotblack Desiato não respondeu. Sobrenaturalmente, no entanto, ele respondeu.

Na mesa à sua frente, um copo de vinho tremeu, um garfo ergueu-se ligeiramente e bateu no copo. Depois recaiu sobre a mesa.

O guarda-costas sorriu.

– Melhor irmos, senhor Desiato – murmurou o guarda-costas. – Melhor evitarmos a confusão, dada a sua condição. O senhor deve estar bem relaxado para a próxima apresentação. Havia uma platéia realmente grande dessa vez. Uma das melhores. Kakrafoon. Foi há 576 bilhões de anos atrás. O senhor terá ido ter estado esperando ansiosamente por isso?

O garfo ergueu-se mais uma vez, balançou como quem não diz que sim nem que não e caiu de novo.

– Ah, deixe disso – disse o guarda-costas. – Terá ido tendo sido ótimo. Você arrasou com eles. – O guarda-costas teria causado um ataque apoplético no Dr. Dan Streetmentioner. – A nave negra mergulhando no sol sempre impressiona, e a nova é uma beleza. Vou ficar triste de vê-la partir. Vamos descer, então eu coloco a nave negra no piloto automático e vamos na limunavesine, OK?

O garfo bateu uma vez, concordando, e o copo de vinho esvaziou-se misteriosamente.

O guarda-costas empurrou a cadeira de rodas de Hotblack Desiato para fora do Restaurante.

– E, agora – gritou Max do centro do palco –, o momento que todos esperávamos! – Ergueu os braços para o ar. Atrás dele a banda entrou em um frenesi de percussão acompanhado por syntocordes. Max já tinha discutido com eles sobre o assunto, mas a banda alegava que isso estava previsto no contrato deles. O agente dele teria que resolver a questão. – Os céus começam a ferver! – berrou. – A natureza colapsa dentro do vazio que tudo engole! Dentro de 20 segundos o próprio Universo terminará! Vejam a luz do infinito se espalhar sobre nós!

A horrenda fúria da destruição incendiava os céus acima deles – e nesse momento uma pequena e plácida trombeta soou, como se viesse de uma distância infinita. Max virou-se para fulminar a banda, mas nenhum deles parecia estar tocando trombeta. Subitamente uma nuvem de fumaça surgiu no palco ao lado dele, em um redemoinho brilhante. Outras trombetas juntaram-se à primeira. Max tinha conduzido esse espetáculo mais de 500 vezes e isso jamais havia acontecido. Afastou-se, assustado, do redemoinho de fumaça, e nesse instante uma figura materializou-se lentamente dentro dela, a figura de um ancião, barbudo, vestindo um manto e emanando luz. Tinha estrelas nos olhos e trazia uma coroa de ouro na testa.

– O que é isso? – murmurou Max, de olhos arregalados. – O que está acontecendo?

No fundo do Restaurante, o grupo de devotos da Segunda Vinda do Grande Profeta Zarquon ajoelhou-se em êxtase entoando cânticos e chorando em profusão.

Max piscou, espantado. Levantou os braços para a platéia.

– Uma salva de palmas, senhoras e senhores – conclamou –, para o Grande Profeta Zarquon! Ele veio! Zarquon retornou!

Um forte aplauso explodiu enquanto Max atravessava o palco para entregar o microfone ao Grande Profeta.

Zarquon tossiu. Espiou a audiência reunida. As estrelas em seus olhos piscavam, pouco à vontade. Segurava o microfone, confuso.

– Ahn... – disse ele – ...olá. Olhem, peço desculpas se estou um pouco atrasado. Passei por alguns momentos difíceis, surgiram várias coisas para resolver na última hora.

Parecia nervoso com o silêncio reverente dos espectadores. Pigarreou.

– Ahn, quanto tempo temos? – disse. – Será que eu tenho um min...

E foi assim que acabou o Universo.

capítulo 19

Um dos principais motivos do enorme sucesso do *Guia do Mochileiro das Galáxias*, esse incrível livro de viagens – além de ser relativamente barato e do fato de ele trazer impressa na capa, em letras garrafais e amigáveis, a frase NÃO ENTRE EM PÂNICO –, é seu enorme e eventualmente preciso índice. As estatísticas relativas à natureza geossocial do Universo, por exemplo, encontram-se sutilmente colocadas entre as páginas novecentos e trinta e oito mil e vinte e quatro e novecentos e trinta e oito mil e vinte e seis. O estilo simplista em que foram escritas pode ser em parte explicado pelo fato de que os editores, tendo que cumprir um prazo editorial, copiaram as informações da parte de trás de uma caixa de cereais, acrescentando rapidamente algumas notas de rodapé para evitar um processo baseado nas incompreensivelmente tortuosas leis de copyright da Galáxia.

É interessante lembrar que, posteriormente, um editor mais astuto enviou o livro de volta no tempo, através de uma dobra temporal, e em seguida processou, com êxito, o fabricante dos cereais por infringir essas mesmas leis de copyright.

Aqui vai uma amostra.

O Universo
Algumas informações para ajudá-lo a viver nele

1. Área: Infinita.

O *Guia do Mochileiro das Galáxias* oferece a seguinte definição para a palavra "Infinito":

Infinito: Maior que a maior de todas as coisas e um pouco mais que isso. Muito maior que isso, na verdade, realmente fantasticamente imenso, de um tamanho totalmente estonteante, tipo "puxa, isso é realmente grande!". O infinito é tão totalmente grande que, em comparação a ele, a grandeza em si parece ínfima. Gigantesco multiplicado por colossal multiplicado por estonteantemente enorme é o tipo de conceito que estamos tentando passar aqui.

2. Importações: Nenhuma.

É impossível importar coisas para uma área infinita, pois não há exterior de onde importar as coisas.

3. Exportações: Nenhuma.

Vide Importações.

4. População: Nenhuma.

É fato conhecido que há um número infinito de mundos, simplesmente porque há um espaço infinito para que esses mundos existam. Todavia, nem todos são habitados. Assim, deve haver um número finito de mundos habitados. Qualquer número finito dividido por infinito é tão perto de zero que não faz diferença, de forma que a população de todos os planetas do Universo pode ser considerada igual a zero. Disso podemos deduzir que a população de todo o Universo também é zero, e que quaisquer pessoas que você possa encontrar de vez em quando são meramente produtos de uma imaginação perturbada.

5. Unidades Monetárias: Nenhuma.

Na realidade há três moedas correntes na Galáxia, mas nenhuma delas conta. O Dólar Altairense entrou em colapso recentemente, a Baga Flainiana só pode ser trocada por outras Bagas Flainianas e o Pu Trigânico tem problemas próprios e muito específicos. Sua atual taxa de câmbio de oito Ningis por cada Pu é bastante simples, mas como cada Ningi é uma moeda triangular de borracha de 10.900 quilômetros em cada lado, ninguém jamais as juntou em número suficiente para possuir um Pu. Ningis não são moedas negociáveis, porque os Galactibancos recusam-se a lidar com trocados. Partindo-se dessa premissa básica, é simples provar que os Galactibancos também são produto de uma imaginação perturbada.

6. Arte: Nenhuma.

A função da arte é espelhar a natureza, e basicamente não existe um espelho que seja grande o bastante – vide item 1.

7. Sexo: Nenhum.

Bem, para dizer a verdade isso acontece bastante, em grande parte devido à total falta de dinheiro, comércio, bancos, arte ou qualquer outra coisa que pudesse manter ocupadas todas as pessoas não-existentes do Universo.

Contudo, não vale a pena entrar numa longa discussão sobre o assunto porque ele de fato é incrivelmente complicado. Para maiores informações veja os seguintes capítulos do *Guia:* 7, 9, 10, 11, 14, 16, 17, 19, além dos capítulos entre 21 e 84, inclusive. Na verdade, veja quase todo o resto do *Guia.*

capítulo 20

O Restaurante continuou a existir, mas todo o resto parou. A relestática temporal o mantinha protegido dentro de um nada que não era meramente um vácuo, era simplesmente nada – não havia nada em que se pudesse dizer que havia um vácuo.

Protegido pelo campo de força, o domo voltara a ser opaco, a festa havia terminado, as pessoas estavam saindo, Zarquon havia desaparecido junto com o resto do Universo e as Turbinas Temporais estavam se preparando para puxar o Restaurante de volta no tempo para a hora de servir o almoço, enquanto Max Quordlepeen estava de volta em seu pequeno camarim tentando falar com seu agente através do cronofone.

No estacionamento estava a nave negra, fechada e silenciosa.

O falecido Sr. Hotblack Desiato entrou no estacionamento, empurrado por seu guarda-costas.

Desceram por um dos tubos. Ao se aproximarem da limunavesine, uma comporta se abriu, acoplou-se à cadeira de rodas e a puxou para dentro. O guarda-costas supervisionou a operação, e, depois de ver seu patrão seguramente instalado em seu sistema de manutenção de morte, dirigiu-se à pequena cabine. Dali operou o sistema de controle remoto que ativava o piloto automático da nave negra que estava ao lado da limunavesine, o que trouxe um grande alívio para Zaphod, que há mais dez minutos tentava fazer a nave se mexer.

A nave negra deslizou suavemente para fora de sua baia, virou e moveu-se pela pista central silenciosamente. Perto do final, acelerou rapidamente, mergulhou na câmara de lançamento temporal e iniciou a longa viagem de volta ao passado distante.

O Cardápio do Milliways cita, com a devida permissão, um trecho do *Guia do Mochileiro das Galáxias.* Eis o que ele diz:

> *A história de todas as grandes civilizações galácticas tende a atravessar três fases distintas e identificáveis – as da sobrevivência, da interrogação e da sofisticação, também conhecidas como as fases do como, do por quê e do onde.*
> *Por exemplo, a primeira fase é caracterizada pela pergunta:* "Como *vamos poder comer?" A segunda, pela pergunta:* "Por que *comemos?" E a terceira, pela pergunta:* "Onde *vamos almoçar?"*

O cardápio prossegue sugerindo que o Milliways, o Restaurante no Fim do Universo, seria uma resposta agradável e sofisticada para a terceira pergunta.

O que ele não diz é que, embora uma grande civilização em geral leve milênios para passar pelas fases do *Como,* do *Por quê* e do *Onde,* em circunstâncias estressantes, pequenos agrupamentos sociais podem passar por elas com extrema rapidez.

– Como estamos? – perguntou Arthur.

– Mal – disse Ford Prefect.

– Para onde estamos indo? – perguntou Trillian.

– Não sei – disse Zaphod Beeblebrox.

– Por que não? – impacientou-se Arthur Dent.

– Cale a boca – sugeriram Zaphod Beeblebrox e Ford Prefect.

– Basicamente, o que vocês estão tentando dizer – disse Arthur Dent, ignorando a sugestão – é que estamos fora de controle.

A nave sacudia e balançava nauseantemente enquanto Ford e Zaphod tentavam arrancar o controle do piloto automático. Os motores gemiam e reclamavam como crianças cansadas num supermercado.

– É esse sistema maluco de cores que me tira do sério – disse Zaphod, cujo caso de amor com a nave tinha durado pouco menos que três minutos após o início do vôo. – Toda vez que você tenta operar um desses estranhos controles pretos, rotulados em preto contra um fundo preto, acende uma luzinha preta para dizer o que você fez. O que é isso? Alguma espécie de hipernave funerária?

As paredes da cabine também eram pretas, os assentos – que eram rudimentares, uma vez que a única viagem importante para a qual essa nave fora projetada supostamente não teria tripulantes – eram pretos, o painel de controle era preto, os instrumentos eram pretos, os parafusos que os prendiam eram pretos, o fino carpete de náilon que cobria o chão era preto, e quando eles levantaram uma ponta dele descobriram que o forro por baixo também era preto.

– Talvez quem a desenhou tivesse olhos que respondessem a outros comprimentos de onda – propôs Trillian.

– Ou não tinha muita imaginação – murmurou Arthur.

– Talvez – disse Marvin – estivesse muito deprimida.

A verdade, embora eles não soubessem, era que a decoração tinha sido escolhida em homenagem à condição triste, lamentável e dedutível do imposto de renda de seu proprietário

A nave deu uma guinada particularmente nauseante.

– Vão com calma – implorou Arthur –, estou ficando com enjôo espacial.

– Enjôo temporal – corrigiu Ford. – Estamos mergulhando de volta no tempo.

– Obrigado – disse Arthur. – Agora acho que realmente vou passar mal.

– Vá em frente – disse Zaphod. – Um pouco de cor faria bem a este lugar.

– É isso que você considera uma boa conversa entre amigos depois do jantar? – retrucou Arthur.

Zaphod deixou Ford tentando se entender com os controles e se lançou sobre Arthur.

– Olha, terráqueo – disse, furioso –, você tem uma missão a cumprir, certo? A Pergunta referente à Resposta Final, certo?

– O quê, ainda isso? – disse Arthur. – Pensei que já tivéssemos deixado isso para trás.

– Eu, não, cara. Como disseram os ratos, vale uma fortuna nos meios certos. E está tudo trancado nessa sua cabeça.

– É, mas...

– Mas nada! Pense nisso. O Sentido da Vida! Se pusermos as mãos nisso, vamos poder chantagear todos os terapeutas do Universo, e isso vale uma nota. Eu devo uma grana ao meu!

Arthur deu um longo suspiro, sem muito entusiasmo.

– Certo – disse –, mas por onde começamos? Como eu posso saber? Eles dizem que a Resposta Final, ou seja lá o que for, é Quarenta e Dois, mas como é que eu vou saber qual é a pergunta? Pode ser qualquer coisa. Quero dizer, quanto são seis vezes sete?

Zaphod o encarou seriamente por um instante. Então seus olhos brilharam, empolgados.

– Quarenta e dois! – exclamou.

Arthur passou a mão na testa.

– É – disse pacientemente –, eu sei disso.

Zaphod baixou os rostos.

– Só estou dizendo que a pergunta pode ser qualquer coisa – disse Arthur –, e não vejo como eu vou descobrir.

– Porque – bradou Zaphod – você estava lá quando seu planeta explodiu em fogos de artifício.

– Temos uma coisa na Terra... – começou Arthur.

– Tínhamos – corrigiu Zaphod.

– ...chamada educação. Ah, não importa. Olhe, eu simplesmente não sei.

Uma voz baixa e soturna ecoou pela cabine.

– Eu sei – disse Marvin.

Ford gritou dos controles, dos quais continuava levando uma surra.

– Fique fora disso, Marvin – disse ele. – Isso é conversa orgânica.

– Está impresso nos padrões de ondas cerebrais do terráqueo – prosseguiu Marvin –, mas não creio que vocês estejam muito interessados em saber.

– Quer dizer – disse Arthur –, quer dizer que você pode ver dentro de minha mente?

– Posso – disse Marvin.

Arthur olhou para ele espantado.

– E...?

– Fico impressionado com o fato de você conseguir viver num lugar tão pequeno.

– Ah – disse Arthur. – Ultraje.

– Sim – confirmou Marvin.

– Ah, ignore-o – aconselhou Zaphod –, ele está inventando.

– Inventando? – disse Marvin, girando a cabeça para simular espanto. – Por que eu iria inventar algo? A vida já é suficientemente ruim como é, sem que eu queira inventar mais nada.

– Marvin – disse Trillian, com aquela voz gentil e doce que só ela continuava sendo capaz de fazer ao falar com aquela criatura maluca –, se você sabia o tempo todo, por que não nos contou?

Marvin girou a cabeça na direção dela.

– Vocês não perguntaram – disse, simplesmente.

– Bom, estamos perguntando agora, homem metálico – disse Ford, virando-se para olhar para ele.

Nesse momento a nave parou de sacolejar e o ruído dos motores passou para um suave zunido.

– Ei, Ford – disse Zaphod –, isso soa bem melhor. Você conseguiu assumir o controle do barco?

– Não – disse Ford –, só parei de mexer com eles. Acho que vamos ter que ir para onde quer que essa nave esteja indo e cair fora o mais rápido possível.

– OK – disse Zaphod.

– Eu sabia que vocês não estavam realmente interessados – murmurou Marvin para si mesmo, se jogou num canto e se desligou.

– O problema – disse Ford – é que o único instrumento desta nave que consigo ler está me deixando preocupado. Se for o que eu estou achando que é, e se estiver dizendo o que eu acho que está, então a gente já voltou demais no tempo. Talvez uns dois milhões de anos antes de nossa era.

Zaphod sacudiu os ombros.

– O tempo não tem sentido – disse.

– Queria saber de quem é esta nave, de qualquer forma – disse Arthur.

– Minha – disse Zaphod.

– Não. De quem ela é de verdade.

– Minha, de verdade – insistiu Zaphod – Olhe, propriedade é roubo, certo? Logo, roubo é propriedade. Portanto esta nave é minha, OK?

– Diga isso à nave – disse Arthur.

Zaphod inclinou-se sobre o painel.

– Nave – disse, batendo nos controles –, este é o seu novo dono falando...

Não conseguiu prosseguir. Muitas coisas aconteceram ao mesmo tempo.

Todos os controles do painel, que ficaram desligados durante a viagem no tempo, acenderam-se.

Uma imensa tela abriu-se sobre o painel revelando uma ampla paisagem cósmica e um único e imenso sol bem na frente deles.

Nenhuma dessas coisas, porém, foi responsável pelo fato de Zaphod ter sido arremessado violentamente para o fundo da cabine neste mesmo instante, assim como os demais.

Foram arremessados por um estrondo que subitamente saiu dos alto-falantes em volta da tela.

capítulo 21

Lá embaixo, na superfície vermelha e seca do planeta Kakrafoon, no meio do deserto Damn'adi, os técnicos de palco estavam testando o sistema de som.

Mais exatamente, o sistema de som estava no deserto, não os técnicos de palco. Eles haviam retornado para a segurança da nave de controle gigante do Disaster Area, em órbita a uns 700 quilômetros acima da superfície do planeta, e era de lá que estavam testando o som. Qualquer pessoa que estivesse a menos de dez quilômetros dos silos de som não teria sobrevivido aos testes.

Se Arthur Dent estivesse a menos de dez quilômetros dos silos de som, seu derradeiro pensamento teria sido de que, tanto na forma quanto no tamanho, a aparelhagem de som se parecia muito com Manhattan. Erguidos sobre os silos, as torres dos falantes de feixes de nêutrons levantavam-se monstruosamente em direção ao céu, deixando nas sombras os bancos de reatores de plutônio e os amplificadores sísmicos atrás delas.

Enterrados profundamente em bunkers de concreto sob a cidade de falantes estavam os instrumentos que os músicos controlariam de sua nave, a enorme ajuitarra fotônica, o detonador de subfreqüências e o complexo de percussão Gigabang.

Ia ser um show barulhento.

A bordo da gigantesca nave de controle, todos estavam ativos e correndo de um lado para outro. A limunavesine de Hotblack Desiato, um girino comparado a ela, já tinha chegado e atracado, e o finado cavalheiro estava sendo transportado pelos corredores para ir encontrar-se com o médium que interpretaria seus impulsos psíquicos no controlador da ajuitarra.

Um médico, um filósofo e um oceanógrafo também tinham acabado de chegar, trazidos, a um custo astronômico, de Maximegalon para tentar argumentar com o vocalista, que se trancara no banheiro com um frasco de comprimidos e se recusava a sair até que alguém provasse a ele de maneira irrefutável que ele não era um peixe. O baixista estava ocupado metralhando seu quarto de dormir e ninguém sabia onde estava o baterista.

Uma busca frenética fez com que se descobrisse que ele estava numa praia em Santraginus V, a mais de 100 anos-luz dali. Alegava que tinha passado a última meia hora em profundo estado de felicidade e que havia descoberto uma pequena pedra que desejava ser sua amiga.

O empresário da banda ficou profundamente aliviado. Isso significava que, pela décima sétima vez nessa turnê, a bateria seria tocada por um robô e, portanto, o tempo estaria correto.

O rádio subéter zunia com as comunicações dos técnicos de palco testando os canais de som, e era isso que estava sendo transmitido para o interior da nave negra.

Seus ocupantes, aturdidos, espremiam-se na parede de trás da cabine e ouviam as vozes pelos monitores da nave.

– OK, canal nove ativado – disse uma voz –, testando canal 15...

Outro estrondo ecoou dentro da nave.

– Canal 15 OK – disse uma outra voz.

Uma terceira voz interrompeu.

– A nave dublê negra já está em posição – disse. – Parece bom daqui. Vai ser um grande mergulho solar. Computador de palco ativado?

Uma voz de computador respondeu.

– Ativado – disse.

– Assuma o controle da nave negra.

– Nave negra travada na trajetória programada, esperando sinal.

– Testando canal 20.

Zaphod saltou através da cabine para mudar o canal do receptor subeta antes que outro ruído detonador de mentes os atingisse. Ficou em pé, tremendo.

– O que – perguntou Trillian em voz baixa – quer dizer mergulho solar?

– Quer dizer – disse Marvin – que a nave vai mergulhar no sol. Mergulho... solar. É muito fácil de entender. O que você espera, roubando a nave dublê de Hotblack Desiato?

– Como você sabe... – disse Zaphod, com uma voz que gelaria um lagarto polar de Veja – que esta é a nave dublê de Hotblack Desiato?

– Simples – disse Marvin –, eu a estacionei para ele.

– Então... por que... você... não... nos disse!

– Você disse que queria emoção, aventura e coisas realmente selvagens.

– Isso é horrível – disse Arthur desnecessariamente na pausa que se seguiu.

– Foi o que eu disse – confirmou Marvin.

Numa freqüência diferente, o receptor subeta captou uma transmissão pública, que agora ecoava por toda a cabine.

– ...e o tempo está bom para o concerto desta tarde. Estou aqui, em frente ao palco – mentia o repórter –, no meio do deserto Damn'adi, e com a ajuda de hipervisores posso vislumbrar a imensa audiência agrupando-se no horizonte à minha volta. Atrás de mim as torres de som erguem-se como um enorme penhasco, e sobre minha cabeça o sol brilha, sem saber o que vai atingi-lo. Os grupos de ecologistas, contudo, sabem o que vai atingi-lo e alegam que o show causará terremotos, maremotos, furacões, danos irreparáveis na atmosfera e todas essas coisas das quais os ecologistas costumam reclamar. Mas acabo de ler um informe de que um representante do Disaster Area encontrou-se com os ecologistas na hora do almoço e mandou fuzilar todos eles, de forma que não restam empecilhos para...

Zaphod desligou. Voltou-se para Ford.

– Sabe o que estou pensando? – disse.

– Penso que sim – disse Ford.

– Me diga o que você pensa que eu estou pensando.

– Penso que você está pensando que está na hora de sairmos desta nave.

– Penso que você está certo – disse Zaphod.

– Penso que você está certo – disse Ford.

– Como? – disse Arthur.

– Quieto – disseram Ford e Zaphod. – Estamos pensando.

– Então é isso – disse Arthur –, vamos morrer.

– Gostaria que você parasse de ficar dizendo isso – disse Ford.

Vale repetir, nesse ponto, as teorias que Ford arrumou, em seu primeiro contato com os humanos, para explicar seu hábito peculiar de ficar continuamente afirmando coisas absurdamente óbvias, como "Lindo dia", "Você é alto" ou ainda "Então é isso, vamos morrer".

Sua primeira teoria era que, se os seres humanos deixassem de exercitar seus lábios, eles grudariam.

Após alguns meses de observação, encontrou uma outra teoria, que era a seguinte – "Se os seres humanos não moverem seus lábios, seus cérebros começarão a funcionar".

Na verdade, esta segunda versão se adapta melhor ao povo Belcerebron de Kakrafoon.

O povo Belcerebron causava um grande ressentimento e insegurança entre as raças vizinhas por ser uma das civilizações mais desenvolvidas, iluminadas, e acima de tudo uma das mais silenciosas da Galáxia.

Como punição para tal comportamento, que foi considerado uma ofensa arrogante e provocadora, um Tribunal Galáctico impôs a eles a mais cruel dentre todas as doenças sociais, a telepatia. Conseqüentemente, para impedir que transmitissem cada mísero pensamento que atravessasse suas mentes a todos num raio de dez quilômetros, eles agora precisam conversar sem parar, em voz bem alta, sobre o tempo, sobre suas pequenas mazelas, sobre o jogo daquela tarde e sobre como Kakrafoon se tornou um planeta barulhento.

Outro método de bloquearem suas mentes momentaneamente é servir de palco para um show do Disaster Area.

O sincronismo do concerto era crítico.

A nave tinha que iniciar seu mergulho antes do início do show, para que se chocasse com o sol seis minutos e trinta e sete segundos antes do clímax da música à qual estava relacionada, de forma que a luz das erupções solares tivesse tempo de atingir Kakrafoon.

A nave já estava mergulhando a vários minutos no momento em que Ford Prefect terminou sua busca pelos outros compartimentos. Voltou à cabine, esbaforido.

O sol de Kakrafoon crescia assustadoramente na tela, seu flamejante inferno branco de núcleos de hidrogênio em fusão crescendo a cada momento enquanto a nave se precipitava em sua direção, sem ligar para os socos de Zaphod sobre o painel. Arthur e Trillian estavam com aquele mesmo olhar fixo de coelhos numa estrada à noite, quando acham que a melhor forma de lidar com os faróis que se aproximam é ficar olhando para eles.

Zaphod deu uma volta, com os olhos arregalados.

– Ford – disse –, quantas cápsulas de salvamento temos?

– Nenhuma – disse Ford.

– Você contou direito? – gritou Zaphod.

– Duas vezes – disse Ford. – Você conseguiu falar com a equipe do show pelo rádio?

– Consegui – disse Zaphod, amargo. – Disse que tinha um grupo de pessoas a bordo e eles mandaram um "oi" para todo mundo.

Ford revirou os olhos.

– Você não disse quem você era?

– Ah, claro. Disseram que era uma grande honra. Isso e alguma coisa a respeito de uma conta de restaurante e meu testamento.

Ford empurrou Arthur para o lado e debruçou-se sobre o painel de controle.

– Nenhuma dessas porcarias funciona? – disse, furioso.

– Todos desconectados.

– Destrua o piloto automático.

– Encontre-o antes. Nada faz sentido.

Houve um momento de silêncio seco.

Arthur estava passeando pelo fundo da cabine. Parou de repente.

– Só por curiosidade – disse –, o que significa teleporte?

Passou um outro momento.

Lentamente todos se viraram em sua direção.

– Provavelmente este é o momento errado de perguntar – disse Arthur. – É só que me lembro de ter ouvido vocês usarem essas palavras faz pouco tempo e só estou falando nisso porque...

– Onde – disse Ford Prefect lentamente – está escrito teleporte?

– Bom, logo aqui, na verdade – disse Arthur, indicando uma caixa escura de controle no fundo da cabine –, logo acima da palavra "de emergência" e abaixo das palavras "sistema de", e logo ao lado de um sinal que dizia "não funciona".

No pandemônio que se seguiu instantaneamente, a única ação que vale mencionar foi a de Ford Prefect se atirando através da cabine sobre a caixinha preta que Arthur indicara e apertando repetidamente o pequeno botão preto que havia nela.

Um painel de dois metros quadrados abriu-se diante deles revelando um compartimento que parecia um banheiro com vários chuveiros que tinha encontrado uma nova vocação em sua vida como loja de equipamentos elétricos. Fios parcialmente desencapados caíam do teto, havia uma porção de componentes espalhados numa bagunça pelo chão e o painel de programação caía pendurado na cavidade da parede onde deveria ter sido instalado.

Um jovem contador do Disaster Area, visitando o estaleiro onde a nave estava sendo construída, perguntara ao mestre-de-obras por que diabos estavam instalando um teleporte extremamente caro numa nave que só tinha uma viagem importante a fazer, e sem tripulação. O mestre-de-obras explicara que o teleporte tinha sido instalado com dez por cento de desconto, e o contador explicara que isso era imaterial; o mestre-de-obras explicara que aquele era o mais refinado, mais poderoso e mais sofisticado teleporte que o dinheiro podia comprar, e o contador explicara que o dinheiro não queria comprá-lo; o mestre-de-obras explicara que, ainda assim, as pessoas teriam que entrar e sair da nave, e o contador explicara que a nave dispunha de uma porta perfeitamente utilizável; o mestre-de-obras explicara que o contador podia ir se danar, e o contador explicara ao mestre-de-obras que aquela coisa que estava indo rapidamente em sua direção era um punho fechado. Após todas essas explicações terem sido concluídas, os trabalhos no teleporte foram interrompidos e ele foi incluído discretamente sob o item "despesas gerais", custando cinco vezes o preço original.

– Zork! – xingou Zaphod, enquanto ele e Ford tentavam conectar os fios.

Pouco tempo depois, Ford lhe disse para se afastar. Jogou uma moeda no teleporte e girou um botão no painel dependurado. Com um ruído e um raio de luz, a moeda desapareceu.

– Essa parte está funcionando – disse Ford –, mas não temos um sistema de coordenadas. Um teleporte sem um sistema de coordenadas poderia mandar você para... para qualquer lugar.

O sol de Kakrafoon assomava enorme na tela.

– Quem se importa – disse Zaphod. – A gente vai para onde for.

– Outra coisa... – disse Ford – Não tem funcionamento automático. Não poderíamos ir todos. Alguém teria que ficar para operar o mecanismo.

Um momento solene passou. O sol ficava cada vez maior.

– Ei, Marvin, meu velho – disse Zaphod, brilhantemente –, como vão as coisas?

– Muito mal, eu suspeito – murmurou Marvin.

Logo depois o concerto de Kakrafoon atingiu um clímax inesperado.

A nave negra com seu único e moroso ocupante mergulhou pontualmente na fornalha nuclear do sol. Gigantescas erupções solares se levantaram a milhões de quilômetros de sua superfície, empolgando e por fim jogando longe o punhado de Surfistas Solares que estavam próximos da superfície do sol à espera do grande momento.

Instantes antes de a luz das erupções atingir Kakrafoon, o vibrante deserto abriu-se ao meio seguindo uma falha continental. Um imenso rio subterrâneo, até então não detectado, jorrou na superfície, seguido pouco depois pela eclosão de milhões de toneladas de lava fervente, que subiu centenas de metros no ar, vaporizando instantaneamente o rio tanto acima quanto abaixo da superfície numa explosão que ecoou até o outro lado do planeta e voltou.

Aqueles poucos – muito poucos – que testemunharam o evento e sobreviveram juram que os 100 mil quilômetros quadrados de deserto voaram como uma panqueca de um quilômetro de espessura, que virou e caiu de volta. Nesse momento preciso, a radiação das erupções solares, filtradas pelas nuvens de vapor, atingiu o solo.

Um ano depois, o deserto de 100 mil quilômetros quadrados estava coberto de flores. A estrutura da atmosfera ao redor do planeta fora sutilmente alterada. O sol queimava menos no verão, o frio congelava menos no inverno, chuvas agradáveis se tornaram mais freqüentes, e lentamente o deserto de Kakrafoon foi se tornando um paraíso. Até os poderes telepáticos com os quais o povo de Kakrafoon tinha sido amaldiçoado foram permanentemente dispersados pela explosão.

Um porta-voz do Disaster Area – o mesmo que tinha matado os ecologistas – teria afirmado, segundo consta, que foi "um bom show".

Muitas pessoas falaram coisas comoventes sobre os poderes de cura da música. Alguns cientistas mais céticos examinaram os registros do evento detalhadamente e alegaram ter descoberto tênues vestígios de um vasto Campo de Improbabilidade artificialmente induzido proveniente de uma região próxima no espaço.

capítulo 22

Arthur acordou e arrependeu-se imediatamente. Não era sua primeira ressaca, mas nenhuma das anteriores se comparava àquela. Essa era "A Ressaca Suprema", a maior de todas, o fundo do fundo do poço sem fundo. Raios de transferência de matéria, ele decidiu, não eram tão agradáveis como, digamos, um bom chute na cabeça.

Estando no momento pouco propenso a levantar-se devido a uma irritante pulsação repetitiva que estava sentindo, ficou deitado, pensando. O problema com a maioria das formas de transporte é que basicamente não valiam a pena. Na Terra – quando havia uma Terra, antes de ela ter sido demolida para dar lugar a uma via expressa hiperespacial – o problema eram os carros. As desvantagens envolvidas em arrancar toneladas de gosma preta e viscosa do subsolo, onde a tal gosma tinha ficado escondida em segurança e longe de todo mal, transformá-la em piche para cobrir o chão, fumaça para infestar o ar e espalhar o resto pelo mar, tudo isso parecia anular as aparentes vantagens de se poder viajar mais rápido de um lugar para outro. Especialmente quando o lugar a que se chegava tinha ficado, por conta dessa coisa toda, muito parecido com o lugar de que se tinha saído, ou seja, coberto de piche, cheio de fumaça e com poucos peixes.

E os raios de transferência de matéria então! Qualquer meio de transporte que envolva destroçar seu corpo em pedaços, átomo por átomo, lançar esses átomos pelo subéter e depois reconstruí-los logo quando estavam sentindo o primeiro gosto de liberdade em muitos anos, com certeza não seria algo muito bom.

Muitas pessoas haviam pensado exatamente a mesma coisa antes de Arthur Dent e tinham até mesmo composto canções a respeito. Eis aqui uma que era freqüentemente cantada por grandes massas concentradas em frente à fábrica de Sistemas de Teleporte da Companhia Cibernética de Sírius, em Mundi-Legre III:

Aldebaran é demais
Algol é o máximo, é sim
Betelgeuse tem mulheres
Lindas de enlouquecer, eu sei
Elas farão o que eu quiser
Bem rápido, depois bem devagar
Mas se for preciso me desintegrar
Então para lá eu não irei.

Todos cantando;
Desintegrar, me desintegrar
Que forma é essa de viajar
Se for preciso me desintegrar
Em casa irei ficar.

As ruas de Sírius são de ouro
Foi o que me disseram
Os loucos que então falaram:
"Vejo você antes de morrer",
Vou levar uma vida de rei
Ou talvez algo pior
Mas se for preciso me desintegrar
Fico em casa na maior.

Todos cantando:
Desintegrar, me desintegrar
Você é um louco varrido
Se for preciso me desintegrar
Fico em casa, está decidido.

...e por aí afora. Uma outra canção muito popular era bem mais curta:

Nos teleportamos de volta para casa
Eu, Patrícia, José e Andréia
José roubou o coração de Patrícia
E Andréia, a minha perna.

Arthur sentiu que as ondas de dor estavam recuando lentamente, embora a irritante pulsação continuasse. Ele se levantou bem devagar e cuidadosamente.

– Você está ouvindo uma pulsação irritante? – disse Ford Prefect.

Arthur virou-se e cambaleou. Ford Prefect estava se aproximando, com os olhos vermelhos e muito abatido.

– Onde estamos? – perguntou Arthur, com a garganta seca.

Ford olhou ao redor. Estavam num longo corredor em curva que se estendia em ambas as direções até se perder de vista. A parede exterior de aço – pintada naquela cor enjoativa que usam nas escolas, hospitais e asilos psiquiátricos para manter os internos submissos – curvava-se sobre suas cabeças para ir de encontro à parede interior perpendicular que era peculiarmente recoberta por uma treliça de madeira escura. O chão era coberto por placas de borracha em tom verde-escuro.

Ford foi até um painel transparente muito grosso e escuro que fora colocado na parece externa. Apesar da espessura, era possível ver os pontinhos luminosos de estrelas distantes.

– Acho que estamos em algum tipo de nave espacial – disse.

Do corredor vinha o ruído de uma pulsação monótona e irritante.

– Trillian? – chamou Arthur, nervoso. – Zaphod?

Ford sacudiu os ombros.

– Não estão por aqui – disse –, eu procurei. Podem estar em qualquer lugar. Um teleporte sem programação pode mandar você a anos-luz de distância em qualquer direção. Pela forma como estou me sentindo, devemos ter viajado um bocado.

– Como você se sente?

– Mal.

– Você acha que eles estão...

– Onde estão, como estão, não temos como saber e não podemos fazer nada a respeito. Faça como eu.

– Como?

– Não pense nisso.

Arthur revirou a idéia por alguns instantes, relutantemente viu a sabedoria que ela continha, pegou a idéia e a enterrou dentro de sua cabeça. Respirou profundamente.

– Passos! – exclamou Ford de repente.

– Onde?

– Esse barulho. A pulsação. São passos. Ouça!

Arthur ouviu. O ruído ecoava pelo corredor de uma distância indeterminada. Era o som abafado de passadas fortes, e estava ficando nitidamente mais alto.

– Vamos sair daqui – disse Ford. Ambos se moveram, cada um para um lado.

– Por aí não – disse Ford –, é daí que eles vêm vindo.

– Não é, não – disse Arthur. – É daí.

– Não, estão...

Ambos pararam. Ambos se viraram. Ambos ouviram com atenção. Ambos concordaram um com o outro. Ambos saíram em direções opostas novamente.

O medo tomou conta deles.

De ambas as direções o barulho ia ficando mais alto.

A poucos metros à esquerda um outro corredor entrava em ângulo reto pela parede interna. Correram para ele e seguiram correndo por ele. Era escuro, imensamente comprido, e, conforme iam passando, tinham a sensação de que ia ficando cada vez mais frio. Outros corredores desembocavam nele, à direita e à esquerda, todos muito escuros, e todos lançando sobre os dois um sopro de ar gélido quando passavam por eles.

Pararam um instante, alarmados. Quanto mais avançavam pelo corredor, mais alto ficava o som das passadas.

Grudaram as costas contra a parede gélida e tentaram desesperadamente ouvir. O frio, a escuridão e as passadas ritmadas de pés sem corpo estavam deixando os dois bem nervosos. Ford tremia, em parte pelo frio, mas em parte pela lembrança das histórias que sua mãe predileta costumava lhe contar quando ele era apenas um nanobetelgeusiano, do tamanho da perna de um megagafanhoto arcturiano: histórias de naves fantasmas, cascos assombrados que vagavam sem descanso pelas regiões mais obscuras do espaço profundo, infestadas de demônios ou de fantasmas de tripulações esquecidas; eram também histórias de viajantes incautos que encontravam e entravam nessas naves; histórias de... – então Ford se lembrou da treliça de madeira escura no primeiro corredor e se recompôs. Seja lá como fosse que demônios e fantasmas decorassem suas naves assombradas, ele podia apostar qualquer quantia que eles não iriam escolher treliças. Puxou Arthur pelo braço.

– Vamos voltar para onde viemos – disse com firmeza, e eles retomaram o caminho.

Pouco depois, pularam como lagartos assustados para dentro do corredor mais próximo quando viram os donos dos pés vindo diretamente em sua direção.

Escondidos no canto, assistiram, espantados, a cerca de duas dúzias de homens e mulheres obesos passarem com passos largos, suando em bicas, vestidos com agasalhos de corrida e ofegando tanto que um cardiologista ficaria preocupado.

Ford Prefect ficou olhando para eles.

– São praticantes de jogging! – cochichou, enquanto o som dos passos ecoava na distância.

– Praticantes de jogging? – sussurrou Arthur Dent.

– Praticantes de jogging – disse Ford Prefect sacudindo os ombros.

O corredor em que estavam escondidos não era como os outros. Era bem curto e terminava numa grande porta de aço. Ford a examinou, descobriu o dispositivo de abertura e empurrou.

A primeira coisa que notaram foi o que parecia ser um caixão.

E as outras 4.999 coisas que notaram também eram caixões.

capítulo 23

A câmara tinha o teto baixo, luz fraca e era gigantesca. Lá no fundo, a uns 300 metros, uma passagem em arco levava ao que parecia ser uma câmara similar, ocupada de forma similar.

Ford Prefect soltou um assobio quando pisou no chão da câmara.

– Radical – disse.

– O que há de tão radical em pessoas mortas? – perguntou Arthur Dent, andando nervosamente atrás dele.

– Sei lá – disse Ford. – Vamos descobrir?

Olhando mais detalhadamente, os caixões se pareciam mais com sarcófagos. Ficavam suspensos na altura da cintura e eram construídos com o que parecia ser mármore branco, e na verdade é quase certo que fosse exatamente isso – algo que apenas parecia ser mármore branco. Os tampos eram semitransparentes, e através deles era possível perceber vagamente as feições de seus falecidos e presumivelmente queridos ocupantes. Eram humanóides, e tinham claramente deixado os problemas de seja lá que mundo viessem muito para trás, mas além disso muito pouco podia ser visto.

No chão, entre os sarcófagos, movia-se lentamente um gás pesado e viscoso que Arthur a princípio achou que estava lá para dar "um clima" ao lugar, até que descobriu que também gelava seus tornozelos. Os sarcófagos também eram muito frios.

Ford agachou-se de repente ao lado de um deles. Puxou um canto de sua toalha para fora da mochila e começou a esfregar alguma coisa furiosamente.

– Olhe, tem uma placa neste aqui – explicou a Arthur. – Está coberta de gelo.

Esfregou até tirar todo o gelo e examinou os caracteres inscritos. Para Arthur pareciam pegadas de uma aranha que tivesse bebido umas doses a mais de seja lá o que for que as aranhas bebem quando saem para uma noitada, mas Ford instantaneamente reconheceu uma antiga forma de Faciletra Galáctica.

– Aqui diz "Frota de Arcas de Golgafrincham, Nave B, Depósito Sete, Limpador de Telefones, Segunda Classe" e um número de série.

– Limpador de telefones? – disse Arthur. – Um limpador de telefones morto?

– Segunda classe.

– Mas o que ele está fazendo aqui?

Ford espiou pela tampa para olhar por dentro.

– Não muita coisa – disse, arreganhando um daqueles seus sorrisos que faziam as pessoas acharem que ele andava estressado ultimamente e devia procurar descansar um pouco.

Saltou para outro sarcófago. Após esfregar também esta plaqueta com sua toalha, anunciou:

– Este é um cabeleireiro morto. Uau!

O sarcófago seguinte relevou-se como o último lugar de descanso de um gerente de contas de marketing; o outro continha um vendedor de carros de segunda mão, terceira classe.

Uma portinhola de inspeção colocada no assoalho chamou subitamente a atenção de Ford, e ele abaixou-se para tentar abri-la, afastando as nuvens de gás gelado que ameaçavam envolvê-lo.

Arthur pensou em algo.

– Se são apenas caixões – disse –, por que estão sendo guardados nesse frio?

– Ou, na verdade, por que estão sendo guardados? – disse Ford, que acabara de abrir a portinhola. O gás desceu por ela. – Por que alguém se daria a todo esse trabalho e despesa para carregar cinco mil cadáveres pelo espaço afora?

– Dez mil – disse Arthur, apontando para a passagem em arco, através da qual a outra câmara podia ser vista.

Ford enfiou a cabeça na portinhola do chão. Olhou para cima novamente.

– Quinze mil – disse –, tem mais um monte desses lá embaixo.

– Quinze milhões – disse uma voz.

– Isso é muito – disse Ford –, muito, muito mesmo.

– Virem-se devagar – gritou a voz – e ponham as mãos para cima. Qualquer outro movimento e eu os estouro em pedacinhos.

– Alô? – disse Ford, virando-se lentamente, pondo as mãos para cima e não fazendo qualquer outro movimento.

– Por que – disse Arthur – ninguém nunca fica contente em nos ver?

De pé, com a silhueta recortada através da porta por onde tinham entrado na câmara mortuária, estava o homem que não tinha ficado contente em vê-los. Seu desprazer era em parte comunicado pelo tom esbravejante e militar de sua voz e em parte pelo modo agressivo com o qual ele apontava uma longa Zapagun prateada para eles. O projetista daquela arma tinha sido instruído para ser bem explícito. "Faça algo francamente maligno", disseram a ele. "Deixe totalmente claro que esta arma possui um lado certo e um lado errado. Deixe totalmente claro para qualquer um que esteja do lado errado que as coisas vão indo mal para ele. Se isso significa colocar muitos tipos de protuberâncias e saliências e partes em metal escuro, faça isso. Esta não é uma arma para ser colocada em cima da lareira na casa de campo ou usar como decoração na entrada. É uma arma para sair por aí e tornar a vida das pessoas miseráveis."

Ford e Arthur olharam infelizes para a arma.

O homem que segurava a arma saiu da porta e deu uma volta ao redor deles. Quando ele apareceu na luz, puderam ver seu uniforme preto e dourado cujos botões brilhavam com tal intensidade que teriam feito um motorista vindo em sentido contrário piscar o farol, irritado.

Ele apontou na direção da porta.

– Fora – disse. Quem dispõe daquele poder de fogo não precisa dispor de verbos. Ford e Arthur saíram, seguidos de perto pelo lado errado da Zapogun.

Ao virar o corredor esbarraram em 24 corredores que retornavam, já de banho tomado e roupa trocada, e que passaram por eles ao entrar na câmara. Arthur virou-se para olhar para eles, confuso.

– Andando – gritou seu capturador.

Arthur andou.

Ford mexeu os ombros e andou.

Na câmara, os corredores se dirigiram a 24 sarcófagos vazios ao longo da parede lateral, abriram suas tampas, entraram neles e mergulharam em 24 sonos sem sonhos.

capítulo 24

– Ahn, Capitão...

– O que é, Número Um?

– Nada, é que eu tenho um informe do Número Dois.

– Oh, Deus.

Lá no alto, na ponte de comando da nave, o Capitão observava a infinitude do espaço com uma ligeira irritação. Do lugar onde estava, sob um amplo domo, podia ver atrás de si e à sua frente o vasto panorama de estrelas pelas quais estavam passando – um panorama que ia ficando perceptivelmente mais rarefeito conforme a viagem prosseguia. Voltando-se e olhando para trás, sobre o vasto corpo de três quilômetros de comprimento da nave, ele via uma massa bem mais densa de estrelas das quais se afastavam e que formavam quase uma linha sólida. Esta era a vista do centro da Galáxia, de onde vinham, e de onde haviam partido há anos, a uma velocidade que ele não se lembrava exatamente qual era no momento, mas sabia que era terrivelmente alta. Era qualquer coisa perto da velocidade de alguma outra coisa, ou então três vezes a velocidade de uma terceira coisa? Muito impressionante, de qualquer maneira. Olhou fundo para o espaço brilhante que se estendia atrás da nave, procurando algo. Ele fazia isso de quando em quando, mas nunca achava o que estava procurando. Não deixava que isso o preocupasse, no entanto. Os nobres cientistas tinham insistido veementemente que tudo correria perfeitamente bem contanto que ninguém entrasse em pânico e que todo mundo fosse em frente e prosseguisse de maneira ordeira.

Ele não estava em pânico. No que lhe dizia respeito, tudo estava correndo esplendidamente bem. Esfregou os ombros com uma grande esponja espumante. Voltou à sua mente a lembrança de que estava levemente irritado com alguma coisa. Mas o que era mesmo? Uma tossidela o alertou para o fato de que o primeiro oficial da nave ainda estava em pé ao seu lado.

Bom rapaz, o Número Um. Não era dos mais brilhantes, tinha uma estranha dificuldade em amarrar os cordões dos sapatos, mas um oficial muito bom mesmo assim. O Capitão não era o tipo de homem que chutasse um rapaz agachado tentando amarrar os sapatos, por mais tempo que isso levasse. Não era como aquele pavoroso Número Dois, andando empertigado para todos os lados, lustrando seus botões, transmitindo informes a cada hora: "A nave continua em movimento, Capitão", "Prosseguimos no curso, Capitão", "Os níveis de oxigênio estão normais, Capitão". "Dá uma folga" era a sugestão do Capitão. Ah, sim, essa era a coisa que o estava deixando irritado. Olhou para o Número Um.

– Sim, Capitão, ele estava gritando qualquer coisa a respeito de ter encontrado uns prisioneiros...

O Capitão pensou a respeito. Parecia-lhe um tanto improvável, mas ele não era homem de se intrometer nos assuntos de seus oficiais.

– Bem, isso talvez o deixe satisfeito por algum tempo, ele sempre quis ter prisioneiros.

Ford Prefect e Arthur Dent foram conduzidos pelos corredores aparentemente intermináveis da nave. O Número Dois marchava atrás deles gritando de quando em quando uma ordem para não fazerem nenhum movimento em falso ou não tentarem nada estranho. Pareciam ter caminhado ao longo de pelo menos dois quilômetros de lambris marrons. Chegaram finalmente a uma grande porta de aço, que se abriu quando o Número Dois gritou com ela.

Entraram.

Aos olhos de Ford Prefect e Arthur Dent, a coisa mais notável na ponte de comando da nave não era o domo hemisférico de 15 metros de diâmetro que a cobria e através do qual a formidável visão do cosmos estrelado brilhava sobre eles: para pessoas que comeram no Restaurante no Fim do Universo, tais maravilhas eram fichinha. Também não os impressionava o atordoante aparato de instrumentos ocupando toda a parede circular em torno deles. Para Arthur era exatamente assim que todas as naves espaciais deviam ser, e para Ford parecia totalmente antiquada: confirmava suas suspeitas de que a nave dublê do Disaster Area os tinha levado para um milhão de anos, talvez dois, antes de sua época.

Não, a coisa que realmente os deixou sem reação foi a banheira.

A banheira ficava sobre um pedestal de cristal azul entalhado com quase dois metros de altura e era de uma monstruosidade barroca raramente vista fora do Museu dos Imaginários Doentios de Maximegalon. Uma miscelânea intestinal de encanamentos tinha sido folheada a ouro em vez de ser enterrada decentemente, à meia-noite, numa sepultura anônima. As torneiras e o chuveiro teriam feito uma gárgula pular.

Como peça central dominante da ponte de comando de uma nave, era completamente inadequada, e foi com o ar amargo de um homem que tem consciência disso que o Número Dois se aproximou dela.

– Senhor Capitão! – gritou entre dentes cerrados. Era um truque difícil, mas ele estava aperfeiçoando isso há anos.

Uma face afável e um afável abraço coberto de espuma apareceram acima da borda da monstruosa banheira.

– Ah, olá, Número Dois – disse o Capitão, acenando com uma simpática esponja –, está tendo um bom dia?

O Número Dois empertigou-se ainda mais.

– Trouxe-lhe os prisioneiros que localizei na câmara de congelamento número sete, senhor – ganiu ele.

Ford e Arthur tossiram, confusos.

– Ahn... oi – disseram.

O Capitão sorriu para eles. Então o Número Dois tinha mesmo achado prisioneiros. "Que bom para ele", pensou o Capitão, é bom ver alguém fazendo aquilo de que realmente gosta.

– Oh, olá – disse a eles. – Desculpem por não me levantar, estou tomando um banho rápido. Bem, jynnan tonnixa para eles. Pegue na geladeira, Número Um.

– Certamente, senhor.

É um fato curioso, cuja importância ninguém sabe ao certo determinar, que uns 85% de todos os mundos conhecidos na Galáxia sejam primitivos ou altamente avançados, tenham inventado uma bebida chamada jynnan tonnixa, ou jii-N'N-t'n-ica ou jimnontônic ou qualquer outra das muitas variações sobre esse mesmo tema fonético. As bebidas em si são completamente diferentes e variam entre o "chinninto/niga" de Sivolvian, que é água comum servida ligeiramente acima da temperatura ambiente, e o "tzjin-anthony-ka" de Gagrakacka, que mata vacas a 100 metros de distância. De fato, a única coisa que todas têm em comum entre si, além dos nomes soarem quase iguais, é o fato de que foram todas inventadas antes que os mundos em questão houvessem feito contato com outros mundos.

Que conclusões podemos tirar desse fato? É um fato totalmente isolado. No que diz respeito a todas as teorias lingüísticas de base estruturalista, isso é um ponto completamente fora do gráfico, que no entanto insiste em existir. Os velhos lingüistas estruturalistas ficam muito irritados quando os jovens lingüistas estruturalistas estudam essa questão. Os jovens lingüistas estruturalistas ficam profundamente empolgados com isso e trabalham até altas madrugadas, convencidos de que estão muito perto de algo extremamente importante, e acabam se tornando velhos lingüistas estruturalistas cedo demais, ficando muito irritados com os jovens. A lingüística estruturalista é uma disciplina amargamente dividida e infeliz, e muitos de seus adeptos passam muitas noites afogando seus problemas em Uizgheee Zodahs.

O Número Dois postava-se diante da banheira do Capitão tremendo de frustração.

– O senhor não vai querer interrogar os prisioneiros, Capitão? – guinchou

O Capitão olhou para ele, curioso.

– Por que eu deveria fazê-lo? – perguntou.

– Para obter informações, senhor! Para descobrir por que vieram para cá!

– Oh, não, não, não – disse o Capitão. – Suponho que eles apenas deram uma passada para tomar um jynnan tonnixa, você não acha?

– Mas, senhor, são prisioneiros! Eu preciso interrogá-los!

O Capitão olhou para eles pensativamente.

– Ah, está bem – disse –, se você realmente insiste. Pergunte o que querem beber.

Um brilho agudo e frio se acendeu nos olhos do Número Dois. Avançou vagarosamente em direção a Ford Prefect e Arthur Dent.

– Muito bem, escória – grunhiu. – Seu verme... – empurrou Ford com a Zapogun.

– Vá com calma – advertiu o Capitão delicadamente.

– O que vocês querem beber??? – berrou o Número Dois.

– Bom, acho que jynnan tonnixa é uma boa idéia – disse Ford. – E você, Arthur?

Arthur piscou.

– O quê? Ah, ahn, certo – disse.

– Com ou sem gelo? – urrou o Número Dois.

– Ah, com... por favor – disse Ford.

– Limão??!!

– Sim, por favor – disse Ford. – E será que tem uns salgadinhos para acompanhar? Sabe, daqueles de queijo?

– Quem faz as perguntas aqui sou eu!!!! – urrou o Número Dois, tremendo com uma fúria apoplética.

– Ahn, Número Dois... – disse suavemente o Capitão.

– Sim, senhor?

– Caia fora, está bem, estou vendo que esse é um bom rapaz. Estou tentando tomar um banho relaxante.

Os olhos do Número Dois se fecharam ligeiramente, assumindo o que é chamado, no ramo das Pessoas que Gritam e Matam, de olhar gélido, cuja idéia, supostamente, é dar a seu oponente a idéia de que você perdeu os óculos ou está tendo grande dificuldade em manter-se acordado. Por que isso é assustador permanece, até o momento, um problema sem solução.

Avançou em direção ao Capitão, estreitando sua (do Número Dois) boca. Mais uma vez, difícil saber por que este é considerado um comportamento de combate. Se, ao vagar pelas florestas de Traal, você de repente se visse frente a frente com a Terrível Besta Voraz de Traal, teria razões para agradecer se mantivesse a boca fechada com os lábios estreitados em vez de, como faz normalmente, escancará-la para exibir suas afiadas presas salivantes.

– Posso lembrá-lo – sibilou o Número Dois ao Capitão – que o senhor está no banho há mais de três anos? – Após este último comentário irônico, o Número Dois girou sobre os calcanhares e refugiou-se em um canto para praticar olhares dardejantes diante de um espelho.

O Capitão contorceu-se em sua banheira. Dirigiu um sorriso sem graça.

– Bom, é preciso relaxar muito num trabalho como o meu – disse ele.

Ford foi baixando as mãos devagar. Não provocou nenhuma reação. Arthur também baixou as suas.

Movendo-se lentamente e com cuidado, Ford foi até o pedestal da banheira. Deu uns tapinhas nela.

– Bacana – mentiu.

Pensou se seria seguro abrir um sorriso. Foi movendo os músculos da face devagar e com muito cuidado. Sim, era seguro.

– Ahn... – disse ao Capitão.

– O quê? – disse o Capitão.

– Eu gostaria de saber – disse Ford –, bem, eu poderia perguntar qual é exatamente seu trabalho?

Uma mão bateu em seu ombro, por trás. Ele se virou.

Era o primeiro oficial.

– Seus drinques – disse ele.

– Ah, obrigado – disse Ford. Ele e Ford pegaram seus jynnan tonnixa. Arthur deu um gole e ficou surpreso ao descobrir que a bebida se parecia muito com um uísque com soda.

– Quero dizer, não pude deixar de notar – disse Ford, também dando um gole – os cadáveres. No compartimento de carga.

– Cadáveres? – disse o Capitão, surpreso.

Ford parou e pensou para si mesmo: "Nunca tome algo como certo. Seria possível que o Capitão não soubesse que tinha 15 milhões de cadáveres a bordo de sua nave?"

O Capitão estava balançando a cabeça simpaticamente para ele. Parecia também que estava brincando com um pato de borracha.

Ford olhou ao redor. O Número Dois o encarava pelo espelho, mas só por um breve instante: seus olhos estavam em constante movimento. O primeiro oficial estava de pé segurando a bandeja e sorrindo de forma tranqüila.

– Corpos? – disse o Capitão de novo.

Ford lambeu os lábios.

– Sim – disse. – Todos aqueles limpadores de telefone e gerentes de conta, sabe, lá no compartimento de carga.

O Capitão olhou para ele. De repente deitou a cabeça para trás e começou a rir.

– Ah, não estão mortos – disse. – Santo Deus, não, estão congelados. Serão reanimados.

Ford fez algo que muito raramente fazia. Piscou.

Arthur parecia estar saindo de um transe.

– Quer dizer que você tem um porão cheio de cabeleireiros congelados? – disse.

– Oh, sim – disse o Capitão. – Milhões deles. Cabeleireiros, produtores de TV estressados, vendedores de apólices de seguro, gerentes de RH, guardas de segurança, executivos de relações públicas, consultores executivos, é só dizer. Vamos colonizar um outro planeta.

Ford cambaleou de leve.

– Emocionante, não? – disse o Capitão.

– O quê? Com essa turma? – disse Arthur.

– Ah, vejamos, não me entenda mal – disse o Capitão –, somos apenas uma das naves da Frota de Arcas. Somos a Arca "B", entende? Desculpe, será que posso lhe pedir para ligar um pouco a água quente?

Arthur atendeu, e uma cascata de água cor-de-rosa espumante rodopiou pela banheira. O Capitão emitiu um suspiro de prazer.

– Muito obrigado, meu caro. Sirvam-se à vontade de bebidas.

Ford bebeu seu drinque de um gole, pegou a garrafa da bandeja do primeiro oficial e encheu seu copo até a boca.

– O que – disse – é uma Arca "B"?

– É esta – disse o Capitão, sacudindo alegremente a água com seu patinho de borracha.

– Certo – disse Ford –, mas...

– Bem, o que ocorreu, sabe – disse o Capitão –, foi que o nosso planeta, o mundo de onde estamos vindo, estava, por assim dizer, condenado.

– Condenado?

– Oh, sim. Então as pessoas pensaram e tiveram essa idéia, a de colocar toda a população em algumas espaçonaves gigantes para nos instalarmos em outro planeta.

Tendo contado esta parte da história, recostou-se com um gemido de satisfação.

– Você diz um planeta menos condenado?

– O que você disse, meu caro?

– Um planeta menos condenado. Onde vocês iam se instalar.

– Sim, nós ainda vamos nos instalar lá. Ficou decidido que seriam construídas três naves, entenderam, as três Arcas Espaciais, e... espero não estar aborrecendo vocês?

– Não, não – disse Ford com firmeza. – É fascinante.

– Sabem, é delicioso – refletiu o Capitão. – Ter mais alguém com quem conversar para variar.

Os olhos do Número Dois dardejaram febrilmente pela sala mais uma vez e então voltaram ao espelho, como um par de moscas brevemente distraídas de seu pedaço favorito de carne putrefata.

– O problema de uma viagem tão longa – prosseguiu o Capitão – é que você acaba conversando muito consigo mesmo, o que se torna muito aborrecido, porque na metade das vezes você sabe o que vai dizer em seguida.

– Só metade das vezes? – perguntou Arthur, surpreso.

O Capitão pensou por um momento.

– É, mais ou menos a metade, eu diria. De qualquer modo... onde está o sabão? – Procurou dentro da banheira e acabou encontrando. – Então – retomou –, a idéia foi de que na primeira nave, a nave "A" , iriam todos os líderes brilhantes, os cientistas, os grandes artistas, sabe, todos os que produzem algo; na terceira nave, ou Arca "C", iriam todas as pessoas que fazem o trabalho pesado, aqueles que fazem ou constroem coisas; e na nave "B" – que é a nossa – iriam todos os outros, os intermediadores, entende?

Sorriu feliz para eles.

– E fomos mandados em primeiro lugar – concluiu, e começou a cantarolar uma canção para se cantar em banheiras.

A canção para se cantar em banheiras, que tinha sido feita para ele por um dos compositores de jingles mais interessantes e prolíficos de seu planeta (que no momento se encontrava adormecido no compartimento 36 a uns 800 metros atrás deles), cobriu o que de outra forma teria sido um desconfortável momento de silêncio. Ford e Arthur mexiam-se desconfortavelmente e, sobretudo, evitavam olhar um para o outro.

– Ahn... – disse Arthur depois de um tempo – o que exatamente havia de errado com seu planeta?

– Ah, estava condenado, como falei – disse o Capitão. – Aparentemente ia de encontro ao sol ou coisa assim. Ou era a lua que vinha de encontro a nós. Algo assim. Absolutamente tenebroso, fosse o que fosse.

– Ah, é? – disse o primeiro oficial de repente. – Eu pensei que era porque o planeta ia ser invadido por um enxame gigantesco de abelhas-piranhas de três metros. Não era isso?

O Número Dois virou-se, os olhos flamejando com uma aguda luminosidade fria que só se consegue após o tipo de prática intensa que ele vinha fazendo ao longo dos anos.

– Não foi o que me disseram – respondeu sibilante. – Meu oficial comandante informou-me que o planeta inteiro estava sob o perigo iminente de ser engolido por um enorme bode estelar mutante!

– Ah, verdade?... – disse Ford Prefect.

– Verdade! Uma criatura monstruosa, surgida dos confins do inferno, de dentes cortantes com mil quilômetros de comprimento cada, um hálito que faria ferver os oceanos, patas que arrancariam os continentes de suas raízes, mil olhos que queimariam como o sol, mandíbulas de um milhão de quilômetros, um monstro que você, nunca, jamais, em tempo algum...

– E eles tomaram o cuidado de mandarem vocês na frente, certo? – indagou Arthur.

– Isso – disse o Capitão. – Todos disseram, bem gentilmente, aliás, que era muito importante para o moral sentir que iam chegar a um planeta onde teriam certeza de que poderiam ter um bom corte de cabelo e onde os telefones estariam limpos.

– Ah, claro – concordou Ford. – Realmente seria muito importante. E as outras naves... ahn... vieram logo em seguida, não?

Por um momento o Capitão não respondeu. Virou-se em sua banheira e fitou além do imenso corpo da nave na direção ao brilhante centro da Galáxia. Olhou fundo pela inconcebível imensidão.

– Ah. Interessante você ter mencionado isso – disse, permitindo-se um franzir de sobrancelhas a Ford Prefect –, porque curiosamente não tivemos o menor sinal deles desde que deixamos o planeta há cinco anos... Mas devem estar atrás da gente, em algum lugar.

Espiou através da distância mais uma vez.

Ford espiou com ele e franziu as sobrancelhas, pensativo.

– A não ser, é claro – disse suavemente –, que tenham sido comidos pelo bode...

– Ah, sim... – disse o Capitão com um leve tom de hesitação surgindo em sua voz – ...o bode. – Seu olhar passou pelas formas sólidas dos instrumentos e computadores que se alinhavam na ponte. Piscavam inocentemente para ele. Olhou para as estrelas, mas nenhuma delas lhe dizia nada. Deu uma olhada em seus primeiro e segundo oficiais, mas eles pareciam perdidos em seus próprios pensamentos. Olhou para Ford Prefect, que ergueu as sobrancelhas para ele.

– É curioso, sabe – disse por fim o Capitão –, mas agora que estou contando essa história para outra pessoa... Quero dizer, ela não lhe parece um pouco estranha, Número Um?

– Ahnnnnnnnnnn... – disse o Numero Um.

– Bom – disse Ford –, vejo que vocês têm uma porção de coisas para conversar, então, agradecemos os drinques e se vocês puderem nos deixar no primeiro planeta que for conveniente...

– Ah, isso vai ser um pouco difícil, sabe – disse o Capitão –, porque nossa trajetória foi preestabelecida quando deixamos Golgafrincham, em parte, creio, porque não sou muito bom com números...

– Quer dizer que estamos presos aqui nesta nave? – exclamou Ford, perdendo de súbito a paciência com toda aquela palhaçada. – Quando vocês devem chegar ao planeta que supostamente vão colonizar?

– Ah, estamos perto, eu acho – disse o Capitão. – A qualquer segundo, agora. Na verdade, provavelmente já é hora de eu sair desta banheira. Ou talvez não, por que sair agora que está tão bom?

– Então nós vamos mesmo aterrissar num minuto? – disse Arthur.

– Bem, não aterrissar, exatamente, não tanto aterrissar, mas... ahn...

– Do que você está falando? – perguntou Ford asperamente.

– Bem – disse o Capitão, escolhendo as palavras com cuidado –, acho que, se bem me lembro, fomos programados para nos chocarmos com o planeta.

– Se chocarem? – gritaram Ford e Arthur.

– Ahn, é – disse o Capitão –, é, faz tudo parte do plano, eu acho. Havia um motivo incrivelmente bom para isso, mas não consigo me lembrar no momento. Tinha a ver com... é...

Ford explodiu:

– Vocês são um bando de malditos malucos inúteis! – gritou.

– Ah, é, era isso – disse o Capitão com um sorriso radiante –, esse era o motivo.

capítulo 25

Eis o que O *Guia do Mochileiro das Galáxias* diz a respeito do planeta de Golgafrincham: é um planeta com uma história antiga e misteriosa, rico em lendas, vermelho, e algumas vezes manchado de verde com o sangue daqueles que lutaram outrora para conquistá-lo; terra de paisagens áridas e ressequidas, de atmosfera doce e estonteante com o aroma das fontes perfumadas que escorrem por suas pedras quentes e poeirentas, nutrindo os liquens escuros sob elas; terra de mentes febris e imaginações intoxicadas, sobretudo daqueles que ingerem esses liquens; terra também de idéias frescas e sombreadas, entre aqueles que abandonaram os liquens e encontraram uma árvore sob a qual se sentar. Uma terra de sangue, aço e heroísmo, terra do corpo e do espírito. Esta era sua história.

Em meio a toda essa história antiga e misteriosa, as figuras mais misteriosas eram sem dúvida as dos Grandes Poetas Circundantes de Arium. Esses Poetas Circundantes geralmente viviam em remotas passagens montanhosas, onde ficavam à espera de pequenos grupos de viajantes incautos para fazer um círculo em torno deles e apedrejá-los.

E quando os viajantes gritavam, perguntando por que eles não iam embora escrever poemas em vez de ficar importunando as pessoas com essa mania de jogar pedras, eles paravam subitamente e então começavam a recitar um dos 794 grandes

Ciclos Cancioneiros de Vassilian. Tais canções eram de extraordinária beleza, e de comprimento ainda mais extraordinário, e todas se encaixavam exatamente em um mesmo padrão.

A primeira parte de cada canção narrava como, um certo dia, um grupo de cinco sábios príncipes havia deixado a Cidade de Vassilian com quatro cavalos. Os príncipes, que são naturalmente bravos, nobres e sábios, viajam a terras distantes, combatem ogros gigantes, seguem filosofias exóticas, tomam chá com deuses esquisitões e salvam lindos monstros de princesas vorazes antes de anunciarem que atingiram a Iluminação e que suas andanças estavam terminadas.

A segunda parte de todas as canções, sempre muito mais comprida, falava sobre todas as brigas para decidir qual deles iria voltar a pé.

Tudo isso repousava no passado remoto do planeta. Foi, no entanto, o descendente de um desses excêntricos poetas quem inventou as histórias espúrias sobre uma catástrofe iminente, as quais permitiram ao povo de Golgafrincham livrar-se de um terço absolutamente inútil de toda a sua população. Os outros dois terços permaneceram tranqüilamente em casa e levaram vidas cheias, ricas e felizes até que foram todos subitamente exterminados por uma doença virulenta contraída por intermédio de um telefone sujo.

capítulo 26

Naquela noite a nave fez um pouso forçado em um planetinha verde-azulado absolutamente insignificante que girava em torno de um pequeno sol amarelo nos confins inexplorados da região mais brega do braço ocidental desta Galáxia.

Nas horas que antecederam a colisão, Ford Prefect tinha lutado furiosamente, mas em vão, para destravar os controles da nave e tirá-la de sua rota preestabelecida. Tornara-se rapidamente aparente para ele que a nave tinha sido programada para entregar a carga em segurança, ainda que sem muito conforto, ao seu novo lar, mas estraçalhar-se irreparavelmente no processo.

Sua descida em chamas através da atmosfera destruíra a maior parte da superestrutura e da blindagem exterior, e o inglório mergulho final de barriga num pântano lodacento deixou à tripulação apenas algumas horas de escuridão para reviver e desembarcar sua carga congelada e indesejada, pois a nave começava a afundar, aos poucos inclinando sua enorme estrutura e chafurdando na lama estagnada. De vez em quando, durante a noite, sua silhueta aparecia recortada quando meteoros flamejantes – detritos de sua queda – riscavam o céu.

Na luz cinzenta antes do alvorecer, a nave soltou um ruído obsceno e afundou para sempre nas profundezas fedorentas.

Quando o sol se levantou aquela manhã, lançou sua luz tênue e esbranquiçada sobre uma vasta área cheia de cabeleireiros, executivos de relações públicas, pesquisadores de opinião pública e os demais, todos gemendo e arrastando-se desesperadamente para a terra seca.

Um sol com menos personalidade teria provavelmente voltado atrás na mesma hora, mas este continuou seu caminho céu acima, e após um tempo a influência de seus raios quentes começou a ter um efeito restaurador naquelas débeis criaturas rastejantes.

Como era de esperar, um número incontável deles morreu no pântano durante a noite, e milhões de outros foram tragados com a nave, mas os que sobreviveram ainda totalizavam centenas de milhares e, à medida que o dia avançava, arrastavam-se pela área circundante à procura de alguns metros quadrados de chão firme onde cair e se recuperar do pesadelo.

Duas figuras estavam um pouco mais à frente dos demais.

De uma colina próxima, Ford Prefect e Arthur Dent assistiram ao horror do qual não se sentiam parte.

– Que golpe imensamente sujo – murmurou Arthur.

Ford riscava o chão com uma vareta e sacudiu os ombros.

– Uma solução criativa para um problema, eu diria.

– Por que as pessoas não podem simplesmente aprender a viver juntas em paz e harmonia? – disse Arthur.

Ford soltou uma gargalhada alta e irônica.

– Quarenta e dois! – disse, com um sorriso malicioso. – Não, não serve. Deixa pra lá.

Arthur olhou para ele como se ele tivesse enlouquecido e, não vendo nada que indicasse o contrário, concluiu que seria perfeitamente razoável assumir que era de fato o que ocorrera.

– O que você acha que vai acontecer com eles? – disse em seguida.

– Num Universo infinito tudo pode acontecer – disse Ford. – Até a sobrevivência. Estranho, mas verdadeiro.

Um olhar curioso apareceu em seus olhos conforme ele percorria a paisagem para depois voltar à cena de miséria abaixo deles.

– Acho que eles vão se virar bem por um tempo – disse.

Arthur dirigiu-lhe um olhar aguçado.

– Por que você diz isso? – perguntou.

Ford encolheu os ombros.

– Só um palpite – disse, recusando-se a continuar o assunto.

– Olhe – disse ele de repente.

Arthur seguiu seu dedo indicador. Lá embaixo, entre as massas escarrapachadas, uma figura se movimentava – ou cambaleava talvez fosse uma expressão mais exata. Parecia estar carregando algo sobre os ombros. Conforme cambaleava de uma forma prostrada para outra, parecia acenar com o que quer que estivesse carregando, como um bêbado. Após um tempo, desistiu do esforço e desmaiou num tombo.

Arthur não tinha idéia do que isso queria dizer.

– Câmara de filmar – disse Ford. – Registrando o momento histórico.

– Bom, não sei quanto a você – disse Ford mais uma vez, após um instante –, mas eu estou fora.

Ficou em silêncio por um tempo.

Depois de um tempo, isso parecia necessitar de um comentário.

– Ahn, quando você diz que está fora, o que significa exatamente? – disse Arthur.

– Boa pergunta – disse Ford. – Estou captando silêncio total.

Olhando por cima dos ombros, Arthur viu que ele estava mexendo nos botões de uma caixa preta. Ford já tinha mostrado aquela caixa para Arthur. Era um Receptor Sensormático Subeta. Arthur tinha apenas balançado a cabeça, absorto, e não tinha ligado para o assunto. Na sua mente, o Universo ainda se dividia em duas partes – a Terra e todo o resto. Como a Terra tinha sido demolida para dar lugar a uma via expressa hiperespacial, sua visão das coisas estava um pouco desequilibrada, mas Arthur tendia a agarrar-se a esse desequilíbrio como o último contato restante com o lar. O Receptor Sensormático Subeta definitivamente pertencia à categoria "todo o resto".

– Nada, nem um grão de sal – disse Arthur, sacudindo o aparelho.

"Grão de sal", pensou Arthur enquanto contemplava indiferentemente o mundo primitivo à sua volta. "O que não daria por uns bons amendoins salgados da (extinta) Terra..."

– Você acredita – disse Ford, exasperado – que não há nenhuma transmissão de nenhum tipo a anos-luz desse pedaço de rocha? Você está me ouvindo?

– O quê? – disse Arthur.

– Estamos com problemas – disse Ford.

– Ah – disse Arthur. Isso parecia uma notícia bem velha para ele.

– Até a gente captar alguma coisa neste aparelho – disse Ford –, nossas chances de sairmos deste planeta são nulas. Pode ser algum efeito maluco provocado por uma onda estacionária no campo magnético do planeta – nesse caso, é só a gente sair andando por aí até encontrar uma área de boa recepção. Vamos?

Apanhou o aparelho e se levantou.

Arthur olhou coluna abaixo. O homem com a filmadora tinha acabado de fazer um esforço para erguer-se, bem a tempo de filmar um de seus colegas desmaiando.

Arthur arrancou uma folha de capim e seguiu Ford.

capítulo 27

– Creio que tiveram uma refeição agradável – disse Zarniwoop a Zaphod e Trillian quando se rematerializaram na ponte de comando da nave Coração de Ouro e ficaram estirados no chão.

Zaphod abriu alguns olhos e olhou-o ameaçadoramente.

– Você – disse, asperamente. Levantou-se com dificuldade e cambaleou em busca de uma cadeira na qual pudesse mergulhar. Achou uma e mergulhou nela.

– Programei o computador com as Coordenadas de Improbabilidade pertinentes a nossa viagem – disse Zarniwoop. – Chegaremos lá em pouco tempo. Por enquanto, por que vocês não descansam e se preparam para o encontro?

Zaphod não disse nada. Levantou-se de novo e caminhou até um pequeno armário de onde tirou uma garrafa de Aguardente Janx. Tomou um demorado gole.

– E quando tudo isso terminar – disse Zaphod, irritado – estará terminado, certo? Estarei livre para sair e fazer o que eu quiser e ficar deitado nas praias e tudo o mais?

– Depende do que decorrer do encontro – disse Zarniwoop.

– Zaphod, quem é esse homem? – perguntou Trillian, levantando-se, trêmula. – O que ele está fazendo aqui? Por que está na nossa nave?

– É um homem muito estúpido – esclareceu Zaphod – que quer conhecer o homem que rege o Universo.

– Ah – disse Trillian, pegando a garrafa de Zaphod e servindo-se –, um emergente.

capítulo 28

O principal problema – um dos principais problemas, pois são muitos –, um dos principais problemas em governar pessoas, está em quem você escolhe para fazê-lo. Ou melhor, em quem consegue fazer com que as pessoas deixem que ele faça isso com elas.

Resumindo: é um fato bem conhecido que todos os que querem governar as outras pessoas são, por isso mesmo, os menos indicados para isso. Resumindo o resumo: qualquer pessoa capaz de se tornar presidente não deveria, em hipótese alguma, ter permissão para exercer o cargo. Resumindo o resumo do resumo: as pessoas são um problema.

Então esta é a situação que encontramos: uma sucessão de presidentes galácticos que curtem tanto as diversões e bajulações decorrentes do poder que muito raramente percebem que não estão no poder.

E, nas sombras atrás deles – quem?

Quem pode governar se ninguém que queira fazê-lo pode ter permissão para exercer o cargo?

capítulo 29

Num pequeno mundo perdido em algum lugar no meio de nenhum lugar específico – ou seja, nenhum lugar que pudesse ser encontrado, já que estava protegido por um vasto campo de improbabilidade para o qual apenas seis homens na Galáxia tinham a chave – estava chovendo.

Chovia aos baldes, e já fazia horas. A chuva formava uma névoa sobre a superfície do mar, castigava as árvores, ensopava a faixa de terra junto ao mar até transformá-la num lodaçal.

A chuva batia e dançava sobre o teto de zinco de uma pequena choupana que ficava no meio dessa faixa de terra. Recobriu a pequena trilha que levava da cabana à beira do mar, bagunçando as pilhas de conchas interessantes que tinham sido colocadas lá.

O barulho da chuva no telhado da choupana era ensurdecedor, mas passava despercebido por seu ocupante, cuja atenção estava ocupada com outra coisa.

Era um homem alto e desajeitado com cabelos cor de palha mal cortados, que agora estavam úmidos por causa das goteiras. Usava roupas velhas, suas costas estavam arqueadas e seus olhos, embora abertos, pareciam estar fechados.

Em sua choupana havia uma velha poltrona gasta, uma velha mesa riscada, um colchão velho, algumas almofadas e um aquecedor que era pequeno, mas dava conta do ambiente.

Havia também um gato velho e maltratado pelo tempo, e era ele no momento o foco de atenção do homem. Inclinou seu corpo desajeitado sobre ele.

– Bichano, bichano, bichano – disse –, psssssss... o bichano quer o peixe? Um pedacinho gostoso de peixe... o bichano quer?

O gato parecia indeciso sobre o assunto. Estendeu a pata com certa condescendência na direção do pedaço de peixe que o homem estava segurando, depois distraiu-se com um chumaço de poeira no chão.

– Se o bichano não come peixe, o bichano fica magrinho e desaparece, eu acho – disse o homem. Sua voz transmitia dúvida.

– Imagino que seja isso o que vá acontecer – disse –, mas como posso saber?

– O bichano está pensando: comer o peixe ou não comer o peixe? Acho que é melhor eu não me envolver – suspirou.

– Eu acho que peixe é bom, mas também acho que a chuva é molhada, então quem sou eu para julgar?

Deixou o peixe no chão para o gato e voltou para seu assento.

– Ah, parece que estou vendo você comer – disse, por fim, quando o gato se cansou do chumaço de poeira e lançou-se sobre o peixe. – Gosto de ver você comendo peixe – disse o homem – porque na minha mente você irá desaparecer se não comer.

Apanhou na mesa um pedaço de papel e o que sobrara de um lápis. Com uma mão segurou o papel, com a outra o lápis, e experimentou diferentes formas de juntar os dois. Tentou segurar o lápis embaixo do papel, e depois em cima do papel, e então do lado. Experimentou embrulhar o papel em volta do lápis, experimentou esfregar o lado rombudo do lápis contra o papel e então experimentou esfregar o lado pontudo do lápis contra o papel. Fez uma marca, e ele ficou maravilhado com a descoberta, como ficava todos os dias. Apanhou outro pedaço de papel na mesa. Este tinha um jogo de palavras cruzadas. Estudou-o brevemente, preencheu alguns quadrinhos e depois se desinteressou.

Experimentou sentar sobre uma de suas mãos e ficou intrigado ao sentir os ossos do quadril.

– O peixe vem de longe – disse –, ou pelo menos é o que dizem. Ou é o que imagino que me dizem. Quando os homens vêm, ou quando em minha mente os homens vêm em suas seis naves negras, eles vêm em sua mente também? O que você vê, bichano?

Olhou para o gato, que estava mais preocupado em engolir o peixe o mais rápido que pudesse do que com essas especulações.

– E quando ouço as perguntas que eles me fazem, você também ouve perguntas? O que significam as vozes deles para você? Talvez você só pense que estão cantando para você. – Refletiu sobre isso e viu a falha da suposição. – Talvez eles estejam cantando cantigas para você – disse – e eu só pense que eles estejam me fazendo perguntas.

Fez uma outra pausa. Às vezes ele fazia pausas que duravam dias, só para ver como seria.

– Você acha que eles vieram hoje? – disse. – Eu acho. Tem lama no chão, cigarros e uísque em cima da mesa, peixe num prato para você e uma lembrança deles na minha mente. Evidências não muito conclusivas, eu sei, mas toda evidência é circunstancial. E olhe o que mais eles me deixaram.

Pegou algumas coisas sobre a mesa.

– Scrabble, dicionários e uma calculadora.

Brincou com a calculadora durante uma hora, enquanto o gato foi dormir e a chuva lá fora continuava caindo. Acabou se cansando da calculadora.

– Acho que devo estar certo em pensar que eles vêm me fazer perguntas – disse. – Vir de tão longe e trazer todas essas coisas só pelo privilégio de cantar para você seria um comportamento muito estranho. Pelo menos é o que me parece. Quem sabe, quem sabe?

Pegou um cigarro sobre a mesa e acendeu com uma brasa do aquecedor. Deu uma tragada profunda e recostou-se na poltrona.

– Acho que vi outra nave no céu hoje – disse então. – Uma nave grande. Eu nunca vi uma grande nave branca, só as seis pretas. E as seis verdes. E as outras que dizem que vêm de muito longe. Mas nunca uma grande nave branca. Talvez seis naves pretas e pequenas possam parecer uma grande nave branca em certas ocasiões. Talvez eu queira um copo de uísque. É, isso me parece mais provável.

Levantou-se e achou um copo que estava no chão ao lado de seu colchão. Serviu uma dose de sua garrafa de uísque. Sentou-se de novo.

– Talvez outras pessoas estejam vindo me ver – disse.

A 150 metros dali, golpeada pela chuva torrencial, encontrava-se a nave Coração de Ouro.

Ao abrir-se a escotilha emergiram três figuras, curvadas sobre si mesmas para protegerem os rostos da chuva.

– Lá dentro? – gritou Trillian acima do barulho da chuva.

– Sim – disse Zarniwoop.

– Naquela choupana?

– É.

– Que esquisito – disse Zaphod.

– Mas fica no meio do nada – disse Trillian. – Esse não deve ser o lugar certo. Não dá para reger o Universo de uma choupana.

Correram pela chuva forte e chegaram completamente ensopados à porta. Bateram. Estavam tremendo.

A porta se abriu.

– Olá? – disse o homem.

– Ah, desculpe – disse Zarniwoop –, tenho motivos para acreditar...

– É você que rege o Universo? – disse Zaphod.

O homem sorriu para ele.

– Tento não reger – disse. – Vocês estão molhados?

Zaphod olhou para ele, assombrado.

– Molhados? – gritou. – Não parece que estamos molhados?

– É o que me parece – disse o homem –, mas vocês poderiam ter uma opinião completamente contrária a esse respeito. Se acharem que o calor os secará, é melhor entrarem.

Entraram.

Espiaram a cabana por dentro, Zarniwoop com aversão. Trillian com interesse, Zaphod deliciado.

– Ei, ahn... – disse Zaphod – qual é o seu nome?

O homem olhou para eles em dúvida.

– Não sei. Por quê? Vocês acham que eu deveria ter um? Parece-me muito estranho dar um nome a um amontoado de vagas percepções sensoriais.

Convidou Trillian a sentar-se na poltrona. Ele se sentou na beirada. Zarniwoop recostou-se rigidamente contra a mesa e Zaphod estendeu-se no colchão.

– Uau! – disse Zaphod. – O assento do poder! – Brincou com o gato.

– Ouça – disse Zarniwoop –, tenho que lhe fazer algumas perguntas.

– Está bem – disse gentilmente o homem. – Pode cantar para o meu gato, se quiser.

– Ele ficaria feliz com isso? – perguntou Zaphod.

– É melhor perguntar a ele – disse o homem.

– Ele fala? – perguntou Zaphod.

– Não tenho memórias dele falando – disse o homem –, mas sou pouco confiável.

Zarniwoop tirou algumas anotações do bolso.

– Agora – disse ele –, o senhor rege o Universo, não rege?

– Como posso saber? – disse o homem.

Zarniwoop fez um sinal diante de uma anotação no papel.

– Há quanto tempo o senhor faz isso?

– Ah – disse o homem –, essa é uma pergunta sobre o passado, não é?

Zarniwoop olhou para ele, confuso. Não era isso exatamente o que esperava.

– É – disse.

– Como posso saber – disse o homem –, se o passado não é uma ficção projetada para explicar a discrepância entre minhas sensações físicas imediatas e meu estado de espírito?

Zarniwoop cravou os olhos nele. O vapor começava a subir de suas roupas encharcadas.

– Então você responde todas as perguntas desse jeito? – perguntou.

O homem respondeu rápido.

– Digo o que me ocorre dizer quando acho que ouço as pessoas dizerem coisas. É tudo que posso dizer.

Zaphod riu alegremente.

– Um drinque a isso – disse, e pegou a garrafa de Aguardente Janx que tinha trazido. Levantou-se de um salto e ofereceu a garrafa ao homem que rege o Universo, que a pegou com prazer.

– Muito bem, grande regente – disse. – Conte-nos tudo!

– Não, escute-me – disse Zarniwoop –, vêm pessoas ver você, não? Em naves...

– Acho que sim – disse o homem. Entregou a garrafa a Trillian.

– E eles lhe pedem – disse Zarniwoop – para tomar decisões para eles? Sobre as vidas das pessoas, sobre os mundos, sobre economia, sobre guerras, sobre tudo o que se passa no Universo lá fora?

– Lá fora? – disse o homem. – Onde?

– Lá fora! – disse Zarniwoop apontando para a porta.

– Como você pode garantir que tem alguma coisa lá fora – disse o homem educadamente –, se a porta está fechada?

A chuva continuava a golpear o teto. Dentro da choupana estava quente.

– Mas você sabe que existe um Universo inteiro lá fora! – gritou Zarniwoop. – Você não pode esquivar-se de suas responsabilidades dizendo que elas não existem!

O homem que rege o Universo pensou por um longo tempo enquanto Zarniwoop trepidava de raiva.

– Você tem muita certeza de seus fatos – disse por fim. – Eu não confiaria nos pensamentos de um homem que acha que o Universo, se é que existe um, é algo com o qual se pode contar.

Zarniwoop ainda trepidava, mas estava em silêncio.

– Eu apenas decido sobre o meu Universo – prosseguiu o homem calmamente. – Meu Universo são meus olhos e meus ouvidos. Qualquer coisa fora disso é boato.

– Mas você não crê em nada?

O homem sacudiu os ombros e apanhou seu gato.

– Não entendo o que você quer dizer com isso.

– Você não entende que as coisas que você decide nesta choupana afetam as vidas e os destinos de milhões de pessoas? Isto tudo está monstruosamente errado!

– Não sei. Nunca vi todas essas pessoas de que você fala. E nem você, suspeito. Elas existem apenas nas palavras que ouvimos. É loucura dizer que você sabe o que está acontecendo com as outras pessoas. Só elas sabem, se é que existem. Elas têm seus próprios Universos a partir de seus olhos e seus ouvidos.

Trillian disse:

– Acho que vou dar uma volta lá fora.

Saiu e foi andar na chuva.

– Você acredita que existam outras pessoas? – insistiu Zarniwoop.

– Não tenho opinião. Como posso saber?

– É melhor eu ir ver o que há com a Trillian – disse Zaphod, e saiu.

Lá fora, ele disse para ela:

– Acho que o Universo está em boas mãos, não é?

– Muito boas – disse Trillian. Foram andando pela chuva.

Lá dentro, Zarniwoop continuava.

– Mas você não entende que as pessoas vivem ou morrem de acordo com suas palavras?

O homem que rege o Universo esperou o quanto pôde. Quando ouviu o som distante dos motores da nave sendo ligados, falou para encobri-lo.

– Não tem nada a ver comigo – disse. – Não estou envolvido em nada que diga respeito a pessoas. O Senhor sabe que não sou um homem cruel.

– Ah – vociferou Zarniwoop –, você diz "o Senhor". Você acredita em alguma coisa!

– Meu gato – disse o homem benignamente, pegando-o e acariciando-o. – Eu o chamo de Senhor. Sou bom para ele.

– Muito bem – disse Zarniwoop, pressionando. – Como você sabe que ele existe? Como você sabe que ele sabe que você é bom, ou que ele gosta daquilo que ele acha que seja a sua bondade?

– Eu não sei – disse o homem com um sorriso –, não tenho idéia. Simplesmente me agrada agir de uma certa maneira com o que me parece ser um gato. Você se comporta de outra maneira? Por favor, acho que estou cansado.

Zarniwoop suspirou completamente insatisfeito e olhou à sua volta.

– Onde estão os outros dois? – disse de repente.

– Que outros dois? – disse o homem que rege o Universo, recostando-se na poltrona e enchendo o copo de uísque.

– Beeblebrox e a garota! Os dois que estavam aqui!

– Não me lembro de ninguém. O passado é uma ficção para explicar...

– Esqueça – rosnou Zarniwoop e saiu correndo na chuva. Não havia nave. A chuva continuava a revolver a lama. Não havia sinal que mostrasse onde tinha estado a nave. Ele gritou na chuva. Virou-se e correu de volta para a choupana e encontrou-a trancada.

O homem que rege o Universo cochilava em sua poltrona. Algum tempo depois ele brincou com o lápis e o papel outra vez e ficou encantado ao descobrir como usar um deles para fazer uma marca no outro. Havia vários barulhos vindos do lado de fora, mas ele não sabia se eram reais ou não. Então passou uma semana falando com a mesa para ver como ela reagiria.

capítulo 30

Naquela noite o céu estava lindamente estrelado. Ford e Arthur tinham percorrido mais quilômetros do que poderiam avaliar e finalmente pararam para descansar. A noite estava fresca e perfumada, o ar era puro, o Receptor Sensormático Subeta totalmente silencioso.

Uma quietude maravilhosa estendia-se sobre o mundo, uma calma mágica que combinava com as doces fragrâncias dos bosques, os insetos criqueteando e a luz brilhante das estrelas para aliviar seus espíritos agitados. Até Ford Prefect, que já tinha visto mais mundos do que poderia enumerar numa longa tarde, estava emocionado o suficiente para pensar se aquele não era o mais bonito em que já tinha estado. Durante todo aquele dia tinham passado por vales e montanhas verdes, ricamente cobertos de gramados, flores de essências exóticas e árvores altas repletas de folhas. O sol os mantinha aquecidos e brisas suaves os mantinham frescos, e Ford Prefect vinha observando seu Receptor Sensormático Subeta a intervalos cada vez menos freqüentes, e mostrava-se cada vez menos aborrecido com seu silêncio contínuo. Começava achar que gostava dali.

Ainda que o ar da noite estivesse fresco, eles dormiram profunda e confortavelmente a céu aberto e acordaram algumas horas depois com o orvalho caindo, sentindo-se repousados mas com fome. Ford tinha enfiado alguns pãezinhos em sua mochila, no Milliways, e eles os comeram no café da manhã, antes de continuarem a marcha.

Até agora vinham andando a esmo, mas então resolveram seguir sempre em direção ao leste, pensando que, se estavam decididos a explorar aquele mundo, deviam ter uma idéia clara de onde tinham vindo e para onde estavam indo.

Pouco antes do meio-dia tiveram a primeira indicação de que o mundo em que tinham pousado não era desabitado. Viram, de relance, um rosto observando-os por entre as folhagens. Desapareceu no instante em que os dois o viram, mas a imagem que ambos tiveram era a de uma criatura humanóide, curiosa de vê-los mas não assustada. Meia hora depois tiveram o relance de outro rosto, e dez minutos mais tarde, mais um.

Um minuto depois encontraram uma grande clareira e pararam.

À frente deles, no meio da clareira, estava um grupo de cerca de duas dúzias de homens e mulheres. Ficaram parados e quietos olhando para Ford e Arthur. Em volta de algumas das mulheres amontoavam-se crianças, e atrás do grupo havia um aglomerado de habitações toscas, feitas de barro e galhos.

Ford e Arthur seguraram a respiração.

O mais alto dos homens tinha pouco mais de um metro e meio, todos andavam um pouco curvados para a frente, tinham braços alongados, testas curtas e claros olhos brilhantes com os quais olhavam fixamente para os estranhos.

Ao ver que não carregavam armas nem faziam qualquer movimento em sua direção, Ford e Arthur se tranqüilizaram.

Por um tempo os dois grupos ficaram se entreolhando e nenhum dos lados fez qualquer movimento. Os nativos pareciam confusos com os intrusos e, apesar de não mostrarem nenhum sinal de agressividade, claramente também não estavam fazendo nenhum convite.

Durante dois minutos nada aconteceu.

Após dois minutos, Ford achou que era hora de algo acontecer.

– Olá – disse.

As mulheres puxaram as crianças para mais perto.

Os homens não fizeram qualquer movimento perceptível, mas ainda assim sua disposição geral tornava claro que a saudação não era bem-vinda. Não era hostilizada tampouco, mas não era bem-vinda.

Um dos homens, que estava um pouco à frente do restante do grupo e que talvez fosse seu líder, deu um passo. Seu rosto era calmo e tranqüilo, quase sereno.

– Ugghhhggghhhrrrr uh uh ruh uurgh – disse calmamente.

Isso tomou Arthur de surpresa. Tinha se acostumado tanto a receber uma tradução instantânea e inconsciente de tudo o que ouvia, através do peixe-babel instalado em seu ouvido, que já tinha se esquecido disso, e só se lembrou do peixe agora porque parecia não estar funcionando. Alguns significados vagos surgiram no fundo de sua mente, mas nada que ele pudesse compreender com clareza. Imaginou – corretamente, a propósito – que aquele povo ainda não tinha desenvolvido nada além de rudimentos da linguagem e que o peixe-babel não poderia ajudar. Deu uma olhada para Ford, que era infinitamente mais experiente nesses assuntos.

– Acho – disse Ford movendo apenas o canto da boca – que ele está perguntando se não nos importaríamos em dar a volta ao redor da aldeia.

Pouco depois, um gesto da criatura humana pareceu confirmar isso.

– Ruurgggghhhh urrrgggh; urgh urgh (uh ruh) rruurruuh ug – prosseguiu a criatura humana.

– O sentido geral – disse Ford –, pelo que posso entender, é que temos toda a liberdade de seguir viagem por onde quisermos, mas se déssemos a volta ao redor da aldeia, em vez de atravessá-la, nós deixaríamos todos eles muito felizes.

– Então, o que vamos fazer?

– Acho que vamos deixá-los felizes – disse Ford.

Devagar e observando os nativos, Ford e Arthur deram a volta no perímetro da clareira. Isso pareceu deixar os nativos contentes – eles se inclinaram levemente para os dois, depois voltaram para suas atividades.

Ford e Arthur continuaram sua viagem através da floresta. A algumas centenas de metros depois da clareira se depararam subitamente com uma pequena pilha de frutas colocada em seu caminho – frutinhas que se pareciam notavelmente com amoras e framboesas e umas frutas polpudas de casca verde que se pareciam impressionantemente com peras.

Até o momento, evitaram todas as frutas que tinham visto, apesar de as árvores estarem carregadas delas.

– Encare desta maneira – Ford Prefect havia dito –, as frutas encontradas em planetas estranhos podem fazer você viver ou morrer. Portanto, o momento em que deve se meter com elas é quando perceber que você vai morrer de qualquer jeito se não o fizer. Se você pensar dessa forma, estará prevenido. O segredo de se manter saudável durantes as viagens é comer junk food.

Olharam com suspeita para a pilha que estava à sua frente. As frutas pareciam tão boas que quase ficavam tontos de fome.

– Encare desta maneira – disse Ford –, ahn...

– Qual maneira? – disse Arthur.

– Estou tentando pensar em uma maneira de encarar isso que, no final das contas, signifique que vamos comer as frutas.

A luz do sol atravessava as folhas e fazia reluzir levemente as tais coisas que pareciam peras. As outras coisas, aquelas que pareciam framboesas e morangos, eram mais rechonchudas e carnudas do que quaisquer outras que Arthur já vira, até mesmo nos comerciais de sorvete.

– Por que não comemos primeiro e pensamos depois? – disse.

– Talvez seja isso que eles querem que a gente faça.

– Está bem, encare desta maneira...

– Começou bem – disse Ford.

– Colocaram isso aí para comermos. Não importa se vão nos fazer bem ou mal, se eles estão querendo nos alimentar ou nos envenenar. Se forem venenosas e não comermos, eles vão nos atacar de algum outro jeito. Se não comermos, saímos perdendo de qualquer forma.

– Gostei do seu jeito de pensar – disse Ford –, agora coma uma.

Hesitante, Arthur apanhou uma das coisas que pareciam peras.

– Foi o que eu sempre pensei sobre aquela história do Jardim do Éden – disse Ford.

– O quê?

– O Jardim do Éden. A árvore. A maçã. Essa parte, lembra?

– Lembro, claro que eu lembro.

– O tal de Deus põe uma macieira no meio de um jardim e diz "vocês dois podem fazer o que vocês quiserem aqui, mas não comam essa maçã" . Obviamente eles comem a maçã, então Deus pula de trás de uma moita gritando: "Peguei vocês, peguei vocês!" Não faria a menor diferença se eles não tivessem comido a maçã.

– Por que não?

– Olha, quando você está lidando com alguém que tem esse tipo de mentalidade – mais ou menos a mesma das pessoas que deixam um chapéu na calçada com um tijolo embaixo para os outros chutarem –, pode ter certeza de que ele não vai desistir. Ele vai acabar te pegando.

– Do que você está falando?

– Esqueça, coma a fruta.

– Sabe, este lugar até que parece o Jardim do Éden.

– Coma a fruta.

– Também soa como o Éden.

Arthur deu uma mordida na coisa que parecia uma pêra.

– É uma pêra – ele disse.

Momentos depois, após comerem tudo, Ford Prefect virou-se e gritou:

– Obrigado. Muito obrigado. Vocês são muito gentis.

Pelos 80 quilômetros seguintes em sua caminhada para o leste eles continuaram encontrando, aqui e ali, os presentes de frutas estendidos em seu caminho e, apesar de terem visto uma vez ou outra um nativo observando-os entre as árvores, não fizeram mais nenhum contato direto. Resolveram que gostavam de uma raça de pessoas que deixava clara sua gratidão simplesmente por ser deixada em paz.

As frutas acabaram após 80 quilômetros porque era onde começava o mar.

Como não tinham nenhum compromisso, construíram calmamente uma jangada e atravessaram o mar. Era relativamente calmo, tinha apenas uns 100 quilômetros de largura, e eles fizeram uma travessia razoavelmente agradável, aportando numa terra que era pelo menos tão bonita quanto a de onde vieram.

A vida era, resumindo, ridiculamente simples e eles puderam, pelo menos durante um tempo, enfrentar os problemas da falta de objetivos e do isolamento simplesmente decidindo ignorá-los. Se realmente desejassem companhia, sabiam onde encontrá-la, mas no momento estavam felizes de saber que os golgafrinchenses estavam centenas de quilômetros atrás deles.

Ainda assim, Ford Prefect começou a usar seu Receptor Sensormático Subeta mais freqüentemente. Só uma vez captou um sinal, mas era tão fraco e vinha de uma distância tão enorme que isso o deprimiu mais do que o silêncio, que, afora isso, continuava inabalável.

Por um capricho, voltaram-se para o norte. Após semanas de viagem chegaram a um outro mar, construíram outra jangada e o atravessaram. Desta vez a travessia foi mais difícil, o clima estava esfriando. Arthur suspeitou que Ford tinha um lado masoquista – aumentar as dificuldades da viagem parecia lhe dar um senso de finalidade que de outra forma lhe faltava. Ele prosseguia implacavelmente.

A viagem para o norte os levou a um território de montanhas escarpadas de enorme beleza. Os gigantescos picos recortados e cobertos com neve deliciavam sua visão. O frio começava a entrar em seus ossos.

Enrolaram-se em peles de animais que Ford Prefect conseguiu através de uma técnica que tinha aprendido certa vez com ex-monges pralitas que administravam um spa de surf-mental nas Colinas de Hunian.

A Galáxia está entupida de ex-monges pralitas, todos no estágio inicial de formação, porque as técnicas de controle mental que a ordem desenvolveu como forma de disciplina devocionária são, francamente, sensacionais. Um número enorme deles abandona a ordem logo depois de terem terminado o treinamento devocionário e logo antes de prestarem os votos finais de ficarem trancados em pequenas caixas metálicas durante o resto de suas vidas.

A técnica de Ford parecia consistir sobretudo em ficar parado durante algum tempo, sorrindo.

Após uns instantes, um animal – como um alce, por exemplo – saía das árvores e o observava com curiosidade. Ford continuava a sorrir, seus olhos tornavam-se mais dóceis e brilhantes, e ele parecia irradiar um amor profundo e universal, um amor que se expandia para abraçar toda a criação. Uma apaziguamento maravilhoso tomava conta da área ao seu redor, pacífica e serena, emanando desse homem transfigurado. Lentamente o alce se aproximava, passo a passo, até quase tocá-lo com o focinho, momento em que Ford pulava e lhe quebrava o pescoço.

– Controle de feromônios – foi o que ele disse –, você só precisa saber como gerar o cheiro certo.

capítulo 31

Alguns dias após terem chegado a essa terra montanhosa, atingiram um litoral que cortava a paisagem diagonalmente diante deles, indo do sudoeste ao nordeste, um litoral grandiosamente monumental: majestosas ravinas profundas e altos cumes de gelo – fiordes.

Durante os dois dias que se seguiram, eles escalaram e subiram pelas pedras e geleiras, assombrados com a beleza.

– Arthur! – gritou Ford de repente.

Era a tarde do segundo dia. Arthur estava sentado em uma pedra alta, vendo o oceano chocar-se de encontro aos íngremes promontórios.

Arthur olhou para o lugar de onde vinha a voz de Ford, carregada pelo vento.

Ford tinha ido examinar uma geleira, e Arthur o encontrou agachado diante de uma sólida parede de gelo azul. Estava enormemente excitado – seus olhos dardejavam quando voltou-se para Arthur.

– Olhe! – disse. – Olhe!

Arthur olhou. Viu a parede sólida de gelo azul.

– É – disse –, uma geleira. Eu já a tinha visto.

– Não – disse Ford –, você olhou mas não viu. Olhe!

Ford apontava para uma parte profunda do gelo.

Arthur deu uma espiada – não viu nada além de sombras nebulosas.

– Afaste-se um pouco – insistiu Ford –, olhe de novo.

Arthur afastou-se e olhou de novo.

– Não – disse, dando de ombros. – O que eu deveria estar procurando?

E de repente ele viu.

– Você está vendo?

Ele estava.

Sua boca começou a falar, mas seu cérebro decidiu que ela não tinha nada a dizer ainda e a fechou novamente. Seu cérebro começou então a lidar com o problema daquilo que seus olhos relatavam estarem olhando, mas ao fazê-lo perdeu o controle sobre o queixo que caiu imediatamente. Levantando mais uma vez o queixo, o cérebro perdeu o controle da mão esquerda, que se agitava aleatoriamente. Por um ou dois segundos seu cérebro tentou retomar o controle da mão esquerda sem soltar a boca, tentando simultaneamente pensar sobre aquilo que estava enterrado no gelo, e foi provavelmente por isso que as pernas se foram e Arthur caiu serenamente no chão.

O que estava causando todo esse transtorno neural era uma rede de sombras no gelo, cerca de 45 centímetros abaixo da superfície. Quando vista do ângulo correto, essa rede formava as letras de um alfabeto alienígena, cada uma com um metro de altura. Para aqueles que, como Arthur, não soubessem ler magatheano fora colocado sobre as letras o perfil de um rosto suspenso no gelo.

Era um rosto velho, magro e distinto, sério mas não carrancudo.

Era o rosto do homem que ganhara um prêmio por ter desenhado e criado o litoral no qual eles agora sabiam estar pisando.

capítulo 32

Um silvo agudo encheu o ar. Rodopiou e penetrou nas árvores, irritando os esquilos. Alguns pássaros voaram para longe, desgostosos. O ruído dançava e deslizava pela clareira. Cortava o espaço com um som áspero e, no geral, agressivo.

O Capitão, no entanto, observava o solitário tocador de gaita de foles com um olhar indulgente. Quase nada era capaz de abalar sua serenidade. Uma vez refeito da perda de sua esplêndida banheira naquela situação desagradável no pântano tantos meses atrás, começava a achar sua nova vida extraordinariamente agradável. Tinham escavado uma cavidade numa grande pedra que ficava no meio da clareira, e aí ele ficava se banhando todos os dias enquanto seus assistentes derramavam água sobre ele. A água não era exatamente quente, é preciso dizer, pois ainda não tinham arrumado um meio de esquentá-la. Não importa, chegariam lá. Por enquanto, equipes de busca exploravam a região atrás de uma fonte de água quente, de preferência numa clareira agradável e frondosa, e se fosse perto de uma mina de sabão seria perfeito. Àqueles que diziam que tinham a impressão de que sabão não se encontra em minas, o Capitão sugeriu que isso talvez fosse porque ninguém houvesse procurado ainda com o esforço necessário, e esta possibilidade fora relutantemente admitida.

Não, a vida era muito agradável, e o que tinha de melhor era que quando a fonte de água quente fosse descoberta, completa, com a clareira frondosa ao lado, e quando ecoasse o grito de trás das colinas de que a mina de sabão fora localizada e que estava produzindo 500 barras por dia, seria mais agradável ainda. Era muito importante ter coisas pelas quais esperar ansiosamente.

Lamento, lamento, ganido, gemido, grasnar, guincho, lamento, continuava tocando o gaiteiro, aumentado ainda mais o já considerável prazer do Capitão só de pensar que ele poderia parar a qualquer momento. Esta era outra coisa pela qual ele esperava.

O que mais era agradável?, perguntou-se. Bem, tantas coisas: o vermelho e dourado das árvores, agora que o outono se aproximava; o barulho pacífico das tesouras, a alguns metros de sua banheira, onde dois cabeleireiros praticavam suas habilidades num diretor de artes sonolento e em seu assistente; a luz do sol refletida nos seis telefones reluzentes alinhados em torno de sua banheira escavada na pedra. A única coisa melhor que um telefone que não tocava o tempo todo (ou melhor, nunca) eram seis telefones que não tocavam o tempo todo (ou melhor, nunca).

Melhor do que tudo era o alegre murmurar das centenas de pessoas que lentamente se reuniam na clareira à sua volta para assistir à reunião vespertina do comitê.

O Capitão deu um tapinha brincalhão no bico de seu pato de borracha. As reuniões vespertinas do comitê eram suas favoritas.

Outros olhos espreitavam a massa que se reunia. Do alto de uma árvore na borda da clareira, Ford Prefect observava, recém-chegado de outros climas. Após sua viagem de seis meses, estava magro e saudável, seus olhos brilhavam, vestia um casaco de pele de rena. Usava uma grossa barba e seu rosto estava tão bronzeado quanto o de um surfista.

Ele e Arthur Dent vinham observando os golgafrinchenses há quase uma semana, e Ford decidira que era hora de agitar um pouco as coisas.

A clareira estava cheia agora. Centenas de homens e mulheres andavam por ali, conversando, comendo frutas, jogando cartas e, no geral, relaxando. A essa altura seus macacões de corrida estavam imundos e rasgados, mas todos tinham cabelos impecavelmente penteados. Ford ficou espantado ao notar que alguns deles tinham recheado suas roupas com folhas e ficou pensando se seria alguma forma de proteção contra o inverno que se aproximava. Ford tentou olhar melhor. Não poderiam ter se interessado por botânica, poderiam?

No meio dessas especulações, a voz do Capitão elevou-se sobre o burburinho.

– Muito bem – disse ele –, gostaria de pedir um pouco de ordem nesta reunião, se for possível. Todo mundo de acordo? – sorriu cordialmente. – Num minuto. Quando todos estiverem prontos.

A conversa foi diminuindo gradativamente até a clareira ficar em silêncio, exceto pelo gaiteiro que parecia estar em seu próprio mundo musical, selvagem e impossível de se habitar. Alguns dos que estavam próximos a ele lhe atiraram algumas folhas. Se havia algum motivo para isso, escapou à compreensão de Ford Prefect.

Um pequeno grupo de pessoas tinha se reunido em torno do Capitão e um deles estava claramente se preparando para falar. Fez isso ficando em pé, limpando a garganta e então olhando para longe, como se quisesse dizer à multidão que estaria de volta em um minuto.

A multidão naturalmente estava atenta e voltou os olhos para ele.

Seguiu-se um momento de silêncio, que Ford julgou ser o exato momento dramático para fazer sua entrada. O homem virou-se para falar.

Ford pulou da árvore.

– Oi, pessoal – disse.

A multidão girou para o seu lado.

– Ah, meu caro rapaz – disse o Capitão. – Tem fósforos com você? Ou um isqueiro? Algo no gênero?

– Não – disse Ford, soando como se tivesse sido um pouco esvaziado. Não estava preparado para isso. Decidiu que seria melhor ser mais enfático no assunto. – Não, não tenho – prosseguiu. – Nenhum fósforo. Em vez disso trago notícias...

– Que pena – disse o Capitão. – Estamos todos sem. Há semanas que não tomo um banho quente.

Ford recusou-se a desviar de seu assunto.

– Trago notícias – disse – de uma descoberta que poderia interessá-los.

– Isso está na pauta? – perguntou asperamente o homem que Ford tinha interrompido.

Ford abriu um largo sorriso.

– Fala sério! – disse.

– Muito bem, lamento – disse o homem com arrogância –, mas como consultor executivo, com muitos anos de experiência, devo insistir na importância de se observar a estrutura do comitê.

Ford olhou para a multidão.

– Ele está louco, sabem – disse. – Este é um planeta pré-histórico.

– Dirija-se à mesa – bradou o consultor executivo.

– Não tem mesa nenhuma – explicou Ford –, só uma pedra.

O consultor executivo decidiu que a situação exigia um pouco de irritação.

– Ora, chame-a de mesa – disse, irritado.

– Por que não chamá-la de pedra? – perguntou Ford.

– Você obviamente não tem a menor concepção – disse o consultor executivo, sem abandonar sua irritação em favor da boa e velha superioridade – dos modernos métodos de negócios.

– E você não tem a menor concepção da realidade – disse Ford.

Uma garota de voz estridente levantou-se subitamente e usou sua voz cortante.

– Calem-se vocês dois – disse ela –, quero enviar uma moção ao plenário.

– Você quer enviar uma moção à clareira – disse um cabeleireiro, dando uma risadinha.

– Ordem, ordem! – gritou o consultor executivo.

– Muito bem – disse Ford –, vamos ver como vocês estão se saindo. – Agachou-se no chão para ver quanto tempo conseguia manter a calma.

O Capitão fez uma espécie de ruído conciliatório.

– Gostaria de pedir ordem – disse amavelmente. – A cinco centésima setuagésima terceira reunião do comitê de colonização de Flintewoodlewix...

"Dez segundos", pensou Ford, e ergueu-se de um pulo.

– Isso é frívolo – exclamou – Quinhentas e setenta e três reuniões de comitê e vocês ainda não descobriram o fogo!

– Se você se desse o trabalho – disse a garota da voz estridente – de consultar a folha de pauta da reunião...

– A pedra de pauta – gorjeou o cabeleireiro alegremente.

– Obrigado, eu já falei sobre isso – murmurou Ford.

– ...você... vai... ver... – continuou a garota com firmeza – que teremos um relatório do Subcomitê de Desenvolvimento do Fogo dos cabeleireiros esta tarde.

– Oh... ah... – disse o cabeleireiro com um olhar encabulado, que é reconhecido em toda a Galáxia como significando: "Ahn, podemos transferir para a próxima terça-feira?"

– Muito bem – disse Ford, cercando-o. – O que você fez? O que você vai fazer? Quais são suas idéias a respeito do desenvolvimento do fogo?

– Bom, não sei – disse o cabeleireiro –, só me deram uns pauzinhos...

– E então? O que você fez com eles?

Nervoso, o cabeleireiro procurou nos bolsos do seu macacão e entregou a Ford o fruto de seu trabalho.

Ford os levantou para que todos vissem.

– Pinças para cachear cabelos – disse.

A multidão aplaudiu.

– Não importa – disse Ford. – Roma não foi queimada em um dia.

A multidão não tinha a mais remota idéia do que ele estava dizendo, mas mesmo assim adoraram. E aplaudiram.

– Bem, você está sendo totalmente ingênuo, obviamente – disse a garota. – Quando você tiver trabalhado com marketing durante tanto tempo quanto eu, vai saber que antes que um novo produto possa ser desenvolvido ele tem que ser devidamente pesquisado. Precisamos descobrir o que as pessoas esperam do fogo, como se relacionam com ele, que tipo de imagem ele tem para elas.

A multidão estava tensa. Esperavam algo de sensacional de Ford.

– Enfia isso no nariz – disse ele.

– O que é precisamente o tipo de coisa que precisamos saber – insistiu a garota. – As pessoas querem um fogo que possa ser aplicado nasalmente?

– Vocês querem? – perguntou Ford à massa.

– Queremos! – gritaram alguns.

– Não! – gritaram outros alegremente.

Não sabiam, só achavam ótimo.

– E a roda? – disse o Capitão. – Como vai esse negócio de roda? Parece um projeto terrivelmente interessante.

– Ah – disse a garota de marketing –, estamos encontrando algumas dificuldades nisso.

– Dificuldades? – exclamou Ford. – Dificuldades? Como assim? É a máquina mais simples de todo o Universo!

A garota de marketing olhou para ele com mau humor.

– Muito bem, Senhor Sabe-Tudo – disse. – Já que você é tão esperto, então nos diga de que cor ela deve ser.

A massa delirou. "Um ponto para o time da casa", pensaram. Ford sacudiu os ombros e sentou-se de novo.

– Zarquon Todo-Poderoso – disse –, nenhum de vocês fez nada?

Como que em resposta a sua pergunta houve um repentino clamor vindo da entrada da clareira. A multidão não acreditava na quantidade de diversão que estava tendo aquela tarde: uma tropa de cerca de uma dúzia de homens vestindo os restos de seus uniformes do terceiro regimento de Golgafrincham entrou marchando. Cerca de metade deles ainda carregava suas armas Zapogun, e o restante carregava lanças que haviam feito com o que acharam pelo caminho. Estavam bronzeados, saudáveis e totalmente exaustos e desgrenhados. Pararam em formação e perfilaram-se atentos. Um deles desfaleceu e não se moveu mais.

– Capitão, senhor! – gritou o Número Dois, que era o líder. – Permissão para informe, senhor!

– Tá, tudo bem, Número Dois, sejam bem-vindos e tudo o mais. Acharam alguma fonte de água quente? – disse o Capitão, desesperançado.

– Não, senhor!

– Foi o que pensei.

O Número Dois atravessou a multidão e apresentou armas diante da banheira.

– Descobrimos um outro continente!

– Quando foi isso?

– Fica além do outro lado do mar... – disse o Número Dois, estreitando os olhos expressivamente – a leste!

– Ah.

O Número Dois voltou o rosto para a multidão. Ergueu sua arma acima da cabeça. "Essa vai ser ótima", pensou a massa.

– Declaramos guerra contra eles!

Aplausos desenfreados explodiram em todos os cantos da clareira. Isto superava todas as expectativas.

– Espere um minuto – disse Ford Prefect –, espere um minuto!

Levantou-se e pediu silêncio. Após um instante, conseguiu, ou pelo menos conseguiu o que era possível em termos de silêncio naquelas circunstâncias. As circunstâncias eram que o tocador de gaita de foles estava espontaneamente compondo um hino nacional.

– Esse gaiteiro tem que ficar por aqui? – indagou Ford.

– Ah, sim – disse o Capitão –, nós lhe demos uma verba.

Ford considerou a idéia de abrir a questão para debate, mas rapidamente decidiu que esse era o caminho para a loucura. Em vez disso, atirou uma pedra no gaiteiro e virou-se para o Número Dois.

– Guerra? – disse.

– É! – O Número Dois olhava desdenhosamente para Ford.

– Contra o continente vizinho?

– É! Guerra total! A guerra que vai acabar com todas as guerras!

– Mas não há ninguém morando lá!

"Ah, interessante", pensou a multidão, "um ponto importante."

O olhar do Número Dois percorria todo o panorama sem se perturbar. Seus olhos eram como um par de pernilongos que pairam propositalmente a cinco centímetros de seu nariz e se recusam a sair dali por meio de golpes com as mãos, tapas de mata-moscas ou jornais enrolados.

– Eu sei disso – falou –, mas um dia vai ter! Por isso deixamos um ultimato em aberto.

– O quê?

– E explodimos algumas instalações militares.

O Capitão debruçou-se em sua banheira.

– Instalações militares, Número Dois? – disse.

Os olhos tremularam por um momento.

– Sim, senhor, instalações militares em potencial. Tudo bem... árvores.

O momento de incerteza passou, e seus olhos varriam a audiência como chicotes.

– E também – vociferou – interrogamos uma gazela!

Posicionou elegantemente sua Zapogun debaixo do braço e marchou através do pandemônio que irrompera pela multidão em êxtase. Caminhou apenas alguns passos antes de ser levantado e carregado para uma volta de honra ao redor da clareira.

Ford sentou-se e começou a bater negligentemente duas pedrinhas, uma contra a outra.

– Então, o que mais que vocês fizeram? – indagou, quando as celebrações tinham acabado.

– Começamos uma cultura – disse a moça de marketing.

– Ah, é? – disse Ford.

– É. Um dos nossos produtores de cinema já está fazendo um fascinante documentário sobre os homens das cavernas nativos da área.

– Não são homens das cavernas.

– Eles se parecem com homens das cavernas.

– Eles vivem em cavernas?

– Bom...

– Vivem em cabanas.

– Talvez estejam redecorando suas cavernas – gritou um gaiato na multidão.

Ford virou-se para ele, irritado.

– Muito engraçado – disse –, mas vocês notaram que eles estão morrendo?

Em sua viagem de volta, Ford e Arthur tinham se deparado com duas aldeias abandonadas e com os corpos de vários nativos na floresta, para onde tinham se refugiado para morrer. Os que ainda viviam pareciam doentes e apáticos, como se sofressem de uma doença do espírito e não do corpo. Andavam indolentemente e com uma tristeza infinita. Tinham tirado seu futuro.

– Morrendo! – repetiu Ford. – Sabe o que isso significa?

– Ahn... que não devemos vender seguros de vida para eles? – gritou o gaiato outra vez.

Ford ignorou-o e falou para toda a multidão.

– Será que dá para vocês tentarem entender – disse – que foi só depois que chegamos aqui que eles começaram a morrer?

– Na verdade isso é algo que sobressai magnificamente nesse filme – disse a garota de marketing – e dá aquele toque pungente que é a característica de todo bom documentário. O produtor é muito empenhado.

– Tem que ser – murmurou Ford.

– Eu soube – disse a garota voltando-se para o Capitão que começava a discordar com a cabeça – que ele quer fazer um sobre o senhor em seguida, Capitão.

– Ah, verdade? – disse ele animado. – Isso é maravilhoso.

– Ele tem um ângulo muito interessante sobre esse assunto, sabe, o fardo da responsabilidade, a solidão do comando...

O Capitão ficou brincando com a idéia durante alguns instantes.

– Bom, eu não acentuaria demais esse ângulo, sabe – disse finalmente. – Nunca se está realmente sozinho com um pato de borracha.

Ergueu o pato para o alto e a multidão aplaudiu.

Por todo esse tempo o consultor executivo tinha ficado sentado num silêncio de pedra, com as pontas dos dedos pressionadas contra as têmporas para indicar que ele estava esperando e que iria esperar o dia todo se fosse necessário.

Nesse momento ele resolveu desistir de esperar o dia todo e, em vez disso, iria apenas fingir que nada do que aconteceu na última meia hora havia de fato acontecido.

Levantou-se.

– Se – disse sucintamente – pudéssemos por um momento passar para a questão da política fiscal...

– Política fiscal! – gritou Ford Prefect. – Política fiscal!

O consultor executivo dirigiu-lhe um olhar que apenas um bagre poderia imitar.

– Política fiscal... – repetiu – foi o que eu disse.

– Como vocês podem ter dinheiro – perguntou Ford – se nenhum de vocês produz algo? Dinheiro não nasce em árvores, sabiam?

– Se você me permitisse continuar...

Ford consentiu com um sinal de cabeça, desanimado.

– Obrigado. Desde que decidimos, há algumas semanas, adotar as folhas como moeda corrente, todos nos tornamos, naturalmente, imensamente ricos.

Ford olhava incrédulo para a multidão, que soltava murmúrios de satisfação enquanto passava os dedos pelos montes de folhas com os quais tinham forrado seus macacões.

– Mas também – prosseguiu o consultor executivo – nos deparamos com um pequeno problema de inflação decorrente do alto nível de disponibilidade de folhas. Acreditamos que a taxa de câmbio atual corresponde a três florestas para a compra de um amendoim da nave.

Murmúrios alarmados vieram da multidão. O consultor executivo os aplacou.

– Então, com o objetivo de prevenir esse problema – continuou – e efetivamente restaurar o valor da folha, estamos prontos a lançar uma campanha maciça de desfolhação e... ahn, queimar as florestas. Acredito que todos concordarão que é um passo sensato diante das circunstâncias.

A multidão parecia um pouco indecisa quanto a isso por alguns segundos até que alguém lembrou o quanto isso elevaria o valor das folhas em seus bolsos, o que os fez dar pulos de alegria e aplaudir de pé o consultor executivo. Os contadores entre eles contavam com um outono muito lucrativo.

– Vocês estão todos loucos – explicou Ford. – Estão absolutamente insanos – prosseguiu. – Vocês são um bando de malucos delirantes – arrematou.

O grosso das opiniões começou a voltar-se contra ele. O que tinha começado como excelente diversão agora, na visão da multidão, deteriorara-se em meras ofensas, e, já que as ofensas eram dirigidas principalmente contra eles, se cansaram disso.

Sentindo essa mudança no ar, a garota de marketing voltou-se para ele.

– Talvez venha ao caso – disse ela – perguntar o que você andou fazendo todos estes meses então. Você e aquele outro intruso estão desaparecidos desde o dia em que chegamos.

– Estávamos viajando – disse Ford. – Fomos tentar descobrir alguma coisa sobre este planeta.

– Oh – disse a garota maliciosamente –, não me parece muito produtivo.

– Não? Pois bem, eu tenho notícias para você, meu amor. Nós descobrimos o futuro deste planeta.

Ford esperou que essa afirmação produzisse seu efeito. Não produziu nenhum. Não sabiam do que ele estava falando.

Continuou.

– Não importa um grão de areia o que vocês resolvam fazer de agora em diante. Queimar as florestas ou o que for, não vai fazer diferença alguma. Sua história futura já aconteceu. Vocês têm dois milhões de anos, e pronto. Ao final desse tempo, sua raça vai estar morta, esquecida e boa viagem para todos. Lembrem-se disso, dois milhões de anos!

A multidão murmurava entre si, incomodada. Pessoas tão ricas quanto eles tinham acabado de se tornar não deveriam ser obrigadas a ficar escutando besteiras assim. Talvez, se dessem uma gorjeta de uma ou duas folhas para o sujeito, ele fosse embora.

Não precisaram se incomodar com isso. Ford já estava caminhando para fora da clareira, parando apenas para sacudir a cabeça quando viu o Número Dois, que já estava descarregando sua Zapogun em algumas árvores das proximidades.

Voltou-se apenas uma vez.

– Dois milhões de anos! – disse, e deu uma risada.

– Bom – disse o Capitão com um sorriso reconfortante –, ainda há tempo para mais alguns banhos. Alguém poderia pegar minha esponja? Deixei cair aqui ao lado.

capítulo 33

Um quilômetro mais ou menos floresta adentro, Arthur Dent estava entretido demais no que estava fazendo para ouvir Ford Prefect aproximar-se.

O que estava fazendo era um tanto curioso, e era o seguinte: sobre um pedaço largo de pedra chata ele tinha riscado um grande quadrado, subdividido em 169 quadrados menores, 13 de cada lado.

Em seguida tinha juntado um monte de pedrinhas achatadas e riscado uma letra em cada uma. Sentados morosamente em torno da pedra estavam alguns nativos sobreviventes a quem Arthur estava tentando apresentar o curioso conceito contido nessas pedras.

Até agora eles não estavam indo muito bem. Tinham tentado comer algumas, enterrar outras e jogar o resto fora. Arthur conseguira finalmente convencer um deles a colocar algumas sobre o quadro riscado na pedra, o que era bem pior do que ele tinha conseguido na véspera. Juntamente com a deterioração moral dessas criaturas, parecia haver uma deterioração correspondente em sua inteligência efetiva.

Com o intuito de instigá-los, Arthur colocou ele mesmo algumas pedras no quadro e tentou encorajar os nativos a acrescentarem outras.

Não estava dando certo.

Ford assistia, quieto, ao pé de uma árvore próxima.

– Não – disse Arthur a um dos nativos que acabara de espalhar algumas das pedras –, o Q vale dez, está vendo, e está num quadrinho de três vezes o valor da palavra, então... olha, eu expliquei as regras para você... não, não, olha, por favor, larga esse osso de maxilar... tudo bem, vamos recomeçar outra vez. Tente se concentrar.

Ford apoiou o cotovelo na árvore e a cabeça na mão.

– O que você está fazendo, Arthur? – perguntou calmamente.

Arthur levantou o olhar, tomado de surpresa. Teve de repente a sensação de que aquilo tudo poderia parecer um pouco estúpido. Tudo o que sabia era que, para ele, tinha funcionado maravilhosamente bem quando era criança. Mas as coisas eram diferentes naquela época, ou melhor, iam ser.

– Estou tentando ensinar os homens das cavernas a jogar *scrabble* – respondeu.

– Não são homens das cavernas – disse Ford.

– Parecem homens das cavernas.

Ford deixou passar.

– Tá bom – disse.

– É um trabalho duro – disse Arthur, exausto. – A única palavra que eles sabem é grrrurrgh e não sabem como escrevê-la.

Suspirou e recostou-se.

– Aonde você quer chegar com isso? – perguntou Ford.

– Temos que encorajá-los a evoluírem! A se desenvolverem! – disse Arthur furiosamente. Esperava que o suspiro de exaustão e a irritação pudessem se contrapor à sensação de estupidez que estava vivendo no momento. Não funcionou. Ele se levantou. – Você pode imaginar como seria um mundo descendente daqueles... cretinos com os quais a gente chegou? – disse.

– Imaginar? – disse Ford erguendo as sobrancelhas. – A gente não precisa imaginar. A gente viu.

– Mas... – Arthur agitava os braços em vão.

– A gente viu – disse Ford –, não tem saída.

Arthur chutou uma pedra.

– Você contou para eles o que a gente descobriu? – perguntou.

– Hummmmmm? – disse Ford, sem prestar muita atenção.

– A Noruega – disse Arthur –, a assinatura de Slartibartfast na geleira. Você contou para eles?

– Para quê? O que isso significaria para eles?

– O que significaria? – disse Arthur. – O que significaria? Você sabe perfeitamente bem o que significa. Significa que este é o planeta Terra! É a minha casa! Foi onde eu nasci!

– Foi? – disse Ford.

– Tudo bem, vai ser.

– Sim, dentro de dois milhões de anos. Por que você não diz isso para eles? Vai lá e diz para eles: "Com licença, eu só queria observar que dentro de dois milhões de anos eu vou nascer a alguns quilômetros daqui." Vamos ver o que vão dizer. Vão te fazer subir no alto de uma árvore e colocar fogo.

Arthur absorveu a idéia com tristeza.

– Encare os fatos – disse Ford. – Aqueles boçais são seus antepassados, e não estas criaturas aqui.

Foi até onde os homens-macaco estavam brincando apaticamente com as pedrinhas. Balançou a cabeça.

– Deixa este jogo pra lá, Arthur. Isto não vai salvar a raça humana, porque esta turma não vai ser a raça humana. A raça humana está no momento sentada em torno de uma pedra do outro lado desta colina fazendo documentários sobre si mesma.

Arthur estremeceu.

– Deve haver alguma coisa que possamos fazer – disse ele. Uma sensação terrível de desolação arrepiou seu corpo por ele estar ali, na Terra, na Terra que tinha perdido seu futuro numa horrenda catástrofe arbitrária e que agora parecia perder seu passado da mesma maneira.

– Não – disse Ford –, não há nada que possamos fazer. Isso não muda a história da Terra, percebe, isto é a história da Terra. Ame-os ou deixe-os, os golgafrinchenses são o povo do qual você descende. Dentro de dois milhões de anos serão destruídos pelos vogons. A História nunca é alterada, está vendo, encaixa-se como um quebra-cabeça. A vida... é curiosa, não?

Apanhou a letra Q e atirou-a numa moita distante, onde ela atingiu um jovem coelho. O coelho começou a correr aterrorizado e não parou até ser capturado e comido por uma raposa, que se engasgou com um de seus ossos e morreu à margem de um riacho, que em seguida a levou.

Durante as semanas que se seguiram, Ford Prefect engoliu seu orgulho e iniciou um relacionamento com uma garota que tinha sido gerente de RH em Golgafrincham e ficou terrivelmente triste quando ela faleceu subitamente por beber água de um tanque contaminado pelo cadáver de uma raposa. A única moral possível a se tirar dessa história é que nunca se deve atirar a letra Q numa moita, mas infelizmente há momentos em que isso é inevitável.

Como a maioria das coisas cruciais da vida, essa cadeia de eventos passou completamente invisível para Ford Prefect e Arthur Dent. Estavam observando com tristeza um dos nativos que mexia lentamente com as letras.

– Pobres homens das cavernas – disse Arthur.

– Não são...

– O quê?

– Ah, deixa pra lá – disse Ford.

A pobre criatura emitiu um patético ruído de lamúria e socou uma pedra.

– Tudo isso tem sido uma perda de tempo para eles, não? – disse Arthur.

– Uh uh urghhhhh – murmurou o nativo e deu outra pancada na pedra.

– Foram ultrapassados na escala evolucionária por limpadores de telefones.

– Uurgh, gr, gr, gruh! – insistiu o nativo, continuando a bater na pedra.

– Por que ele fica batendo na pedra? – disse Arthur.

– Acho que ele quer jogar com você outra vez – disse Ford. – Está apontando para as letras.

– Ele provavelmente escreveu crzjgrdwldiwdc outra vez, coitado. Eu vivo dizendo para ele que só tem um G em crzjgrdwldiwdc.

O nativo deu outra pancada na pedra.

Olharam por cima dos ombros dele.

Seus olhos saltaram.

Ali, no meio das letras embaralhadas, havia 13 letras dispostas numa linha reta e bem clara.

As letras eram estas:

"QUARENTAEDOIS".

– Grrrurrgh guh guh – explicou o nativo. Espalhou as letras, furioso, e foi se juntar a um colega debaixo de uma árvore próxima para não fazer nada.

Ford e Arthur ficaram olhando para o nativo. E, depois, um para o outro.

– Aquilo estava realmente dizendo o que eu acho que dizia? – perguntaram ambos ao mesmo tempo.

– Estava – responderam ambos.

– Quarenta e dois – disse Arthur.

– Quarenta e dois – disse Ford.

Arthur correu para os dois nativos.

– O que vocês estão tentando nos dizer? – gritou. – O que isso quer dizer?

Um deles rolou no chão, levantou as pernas para o ar, rolou de novo e foi dormir.

O outro trepou na árvore e atirou castanhas-da-índia em Ford Prefect. O que quer que tivessem a dizer, já tinham dito.

– Você sabe o que isso significa – disse Ford.

– Não inteiramente.

– Quarenta e dois é o número que o Pensador Profundo calculou como sendo a Resposta Final.

– Certo.

– E a Terra é o computador que o Pensador Profundo projetou e construiu para calcular a Pergunta à Resposta Final.

– É o que fomos levados a crer.

– E a vida orgânica era parte da programação do computador.

– Se você está dizendo.

– Eu estou dizendo. Isto significa que esses nativos, esses homens-macaco, são parte integrante do programa do computador, e que nós e os golgafrinchenses, não.

– Mas os homens das cavernas estão morrendo e os golgafrinchenses vão obviamente tomar seu lugar.

– Exatamente. Então você sabe o que isso significa.

– O quê?

– Pense – disse Ford Prefect.

Arthur olhou para ele.

– Que este planeta terá problemas sérios com isso – disse.

Ford raciocinou por uns momentos.

– Ainda assim, alguma coisa deve ter dado certo – disse por fim –, porque Marvin falou que podia ver a Pergunta impressa em suas ondas cerebrais.

– Mas...

– Provavelmente a pergunta errada, ou uma distorção dela. Mas poderia nos dar uma pista, se tivéssemos como descobri-la. Não vejo como, porém.

Ficaram deprimidos por um tempo. Arthur sentou-se no chão e começou a arrancar montinhos de capim, mas percebeu que essa era uma atividade na qual ele não poderia se aprofundar muito. Não era um capim em que ele pudesse acreditar, as árvores lhe pareciam sem sentido, as colinas onduladas pareciam ondular para lugar nenhum e o futuro parecia ser apenas um túnel através do qual era preciso passar arrastando-se.

Ford mexeu no seu Receptor Sensormático Subeta. Estava em silêncio. Suspirou e deixou-o de lado.

Arthur apanhou uma das pedras contendo letras do jogo de *scrabble* que tinha feito. Era um A. Suspirou e a recolocou no tabuleiro. A letra ao lado dela era um D. Colocou mais umas letras em volta, que por acaso eram um M, um E e um R. Por uma curiosa coincidência, a palavra resultante expressava perfeitamente o que Arthur sentia a respeito das coisas naquela hora. Olhou a palavra por instantes. Não a tinha escrito deliberadamente, era apenas um acaso. Seu cérebro lentamente engatou a primeira.

– Ford – disse ele subitamente –, olhe, se essa Pergunta está impressa nas minhas ondas cerebrais e eu não tenho consciência dela, ela deve estar em algum lugar do meu inconsciente.

– Suponho que sim.

– Deve haver um jeito de trazer para fora esse padrão inconsciente.

– Ah, é?

– É, introduzindo algum elemento de acaso que possa ser modulado por esse padrão.

– Como o quê?

– Como por exemplo tirar as letras do *scrabble* de um saco fechado.

Ford deu um salto.

– Brilhante! – disse ele. Tirou a toalha de sua mochila e com alguns nós cegos transformou-a num saco.

– Totalmente absurdo – disse –, completo delírio. Mas vamos fazê-lo porque é um delírio brilhante. Vamos lá!

O sol passou respeitosamente por trás de uma nuvem. Umas poucas gotinhas de chuva caíram.

Juntaram todas as letras restantes e as jogaram no saco. Chacoalharam.

– Certo – disse Ford. – Feche os olhos. Vai tirando. Vai, vai, vai.

Arthur fechou os olhos e mergulhou a mão na toalha de pedras. Mexeu, remexeu e tirou seis, entregando-as a Ford, que foi colocando-as no chão na ordem em que ia recebendo-as.

– Q – disse Ford –, U, A, N, T, O... Quanto!

Piscou os olhos.

– Acho que está funcionando! – disse.

Arthur lhe entregou mais três.

– E, S, E... Ese. Bom, talvez não esteja funcionando – disse Ford.

– Toma mais estas duas.

– I, S... Eseis – acho que não está fazendo sentido.

Arthur tirou mais três e depois mais duas. Ford colocou-as em seus lugares.

– V, E, Z... E, Z. Eseisvezes... É seis vezes! – gritou Ford. – Está funcionando! É fantástico, está funcionado mesmo!

– Tem mais aqui – disse Ford, arrancando-as febrilmente o mais rápido que podia.

– Quanto é seis vezes... N, O, V, E... seis vezes nove... – fez uma pausa. – Vamos, cadê a próxima?

– Ahn, isso é tudo – disse Arthur –, acabaram-se as letras.

Recostou-se, perplexo.

Vasculhou com as pontas dos dedos mais uma vez dentro da toalha mas não havia mais letras.

– Quer dizer que é só isso? – disse Ford.

– É isso.

– Seis vezes nove: quarenta e dois.

– É isso. É tudo que há.

capítulo 34

O sol surgiu e brilhou radiante sobre eles. Um pássaro cantou. Uma brisa morna soprava por entre as árvores e as flores, levando seu perfume para todo o bosque. Um inseto passou zumbindo a caminho de seja lá que for que os insetos fazem no final da tarde. Um som de vozes veio da floresta seguido um momento depois por duas garotas que pararam surpresas à vista de Ford Prefect e Arthur Dent aparentemente jogados no chão com câimbras, mas na verdade rolando com uma gargalhada silenciosa.

– Não, não vão embora – disse Ford Prefect meio engasgado –, já falamos com vocês.

– Qual é o problema? – perguntou uma das garotas. Era a mais alta e esbelta das duas. Tinha sido assistente de gerente de RH em Golgafrincham, mas não gostava muito desse trabalho.

Ford se recompôs.

– Desculpe-me – disse ele. – Olá. Eu e o meu amigo só estávamos contemplando o sentido da vida. Um exercício frívolo.

– Ah, é você – disse a garota. – Você fez um papelão hoje à tarde. Você foi engraçado no começo, mas depois começou a exagerar.

– Eu exagerei? Com certeza.

– É sim. Para que tudo aquilo? – perguntou a outra garota, uma moça mais baixa, de rosto redondo, que tinha sido diretora de arte numa pequena companhia de publicidade em Golgafrincham. Por maiores que fossem as privações daquele novo mundo, ela ia dormir toda noite profundamente agradecida pelo fato de que, fosse o que fosse que ela teria que enfrentar pela manhã, não seria uma centena de fotografias quase idênticas de tubos de pasta de dentes.

– Para quê? Para nada. Nada é para alguma coisa – disse Ford Prefect alegremente. – Venham, fiquem com a gente, eu sou Ford, este Arthur. Estávamos ocupados em não fazer nada, mas dá para deixar isso para depois.

As garotas olharam para eles em dúvida.

– Eu sou Agda – disse a mais velha. – Esta é Mella.

– Olá, Agda, olá, Mella – disse Ford.

– Você fala? – perguntou Mella a Arthur.

– Ah, às vezes – disse Arthur sorrindo –, mas não tanto quanto Ford.

– Ótimo.

Houve uma pequena pausa.

– O que você quis dizer – perguntou Agda – com essa história de que só temos dois milhões de anos? Eu não consegui entender nada do que você estava falando.

– Ah, aquilo – disse Ford – não tem importância.

– É só que o mundo será demolido para dar lugar a uma via expressa hiperespacial – disse Arthur sacudindo os ombros –, mas isso é daqui a dois milhões de anos, e de qualquer modo são apenas vogons fazendo o que os vogons fazem.

– Vogons? – disse Mella.

– É. Você não deve conhecê-los.

– De onde vocês tiraram essa idéia?

– Realmente não importa. É como um sonho do passado, ou do futuro. – Arthur sorriu e olhou à distância.

– Você não se incomoda por não falar nada que faça sentido? – perguntou Agda.

– Escute, esqueçam – disse Ford –, esqueçam tudo. Nada importa. Olhem que dia bonito, vamos aproveitar! O sol, o verde das montanhas, o rio no vale, as árvores.

– Mesmo sendo só um sonho é uma idéia bem horrível – disse Mella. – Destruir um mundo só para fazer uma via expressa.

– Ah, eu já ouvi coisa pior – disse Ford. – Eu li sobre um planeta da sétima dimensão que foi usado como bola num jogo de bilhar intergaláctico. Foi encaçapado direto para dentro de um buraco negro. Dez bilhões de pessoas morreram.

– Isso é insano – disse Mella.

– Pois é, e só valeu 30 pontos.

Agda e Mella trocaram olhares.

– Olha – disse Agda –, vai ter uma festa hoje à noite depois da reunião do comitê. Vocês podem aparecer se quiserem.

– Tá, OK – disse Ford.

– Vai ser legal – disse Arthur.

Horas depois, Arthur e Mella estavam sentados assistindo à lua nascendo por trás do brilho vermelho das árvores.

– Essa história do mundo ser destruído... – começou Mella.

– Dentro de dois milhões de anos, é.

– Você diz como quem realmente acha que é verdade.

– É, acho que é. E acho que eu estava lá.

Ela sacudiu a cabeça, confusa.

– Você é muito estranho – disse.

– Não, eu sou muito comum – disse Arthur –, mas algumas coisas muitos estranhas aconteceram comigo. Pode-se dizer que eu sou mais diferenciado do que diferente.

– E aquele outro mundo de que falou o seu amigo, aquele que foi atirado num buraco negro?

– Ah, essa eu nunca tinha ouvido. Parece coisa do livro.

– De que livro?

Arthur fez uma pausa.

– O *Guia do Mochileiro dos Galáxias* – disse por fim.

– O que é isso?

– Ah, é só uma coisa que eu joguei no rio esta noite. Acho que é algo que não quero mais – disse Arthur Dent.

PRIMEIRO LIVRO DA SÉRIE

O *Guia do Mochileiro das Galáxias*

Muito além, nos confins inexplorados da região mais brega da Borda Ocidental desta Galáxia, há um pequeno sol amarelo e esquecido.

Girando em torno desse sol, a uma distância de cerca de 148 milhões de quilômetros, há um planetinha verde-azulado absolutamente insignificante, cujas formas de vida, descendentes de primatas, são tão extraordinariamente primitivas que ainda acham que relógios digitais são uma grande idéia.

Esse planeta tem – ou melhor, tinha – o seguinte problema: a maioria de seus habitantes estava quase sempre infeliz. Foram sugeridas muitas soluções para esse problema, mas a maior parte delas dizia respeito basicamente à movimentação de pequenos pedaços de papel colorido com números impressos por cima, o que é curioso, já que no geral não eram os tais pedaços de papel colorido que se sentiam infelizes.

E assim o problema continuava sem solução. Muitas pessoas eram más, e a maioria delas era muito infeliz, mesmo as que tinham relógios digitais.

Um número cada vez maior de pessoas acreditava que havia sido um erro terrível da espécie descer das árvores. Algumas diziam que até mesmo subir nas árvores tinha sido uma péssima idéia, e que ninguém jamais deveria ter saído do mar.

E, então, uma quinta-feira, quase dois mil anos depois que um homem foi pregado num pedaço de madeira por ter dito que seria ótimo se as pessoas fossem legais umas com as outras para variar, uma garota, sozinha numa pequena lanchonete em Rickmansworth, de repente compreendeu o que tinha dado errado todo esse tempo e finalmente descobriu como o mundo poderia se tornar um lugar bom e feliz. Dessa vez estava tudo certo, ia funcionar, e ninguém teria que ser pregado em coisa nenhuma.

Infelizmente, porém, antes que ela pudesse telefonar para alguém e contar sua descoberta, aconteceu uma catástrofe terrível e idiota e a idéia perdeu-se para todo o sempre.

Essa não é a história dessa garota.

É a história daquela catástrofe terrível e idiota e de algumas de suas conseqüências.

É também a história de um livro, chamado O *Guia do Mochileiro das Galáxias* – um livro que não é da Terra, jamais foi publicado na Terra e, até o dia em que ocorreu a terrível catástrofe, nenhum terráqueo jamais o tinha visto ou sequer ouvido falar dele.

Apesar disso, é um livro realmente extraordinário.

Na verdade, foi provavelmente o mais extraordinário dos livros publicados pelas grandes editoras de Ursa Menor – editoras das quais nenhum terráqueo jamais ouvira falar também.

Em muitas das civilizações mais tranqüilonas da Borda Oriental da Galáxia, O *Guia do Mochileiro das Galáxias* já substituiu a grande *Enciclopédia Galáctica* como repositório-padrão de todo conhecimento e sabedoria, pois ainda que contenha muitas omissões e textos apócrifos, ou pelo menos terrivelmente incorretos, ele é superior à obra mais antiga e mais prosaica em dois aspectos importantes.

Em primeiro lugar, é ligeiramente mais barato; em segundo lugar, traz impressa na capa, em letras garrafais e amigáveis, a frase NÃO ENTRE EM PÂNICO.

Mas a história daquela quinta-feira terrível e idiota, a história de suas extraordinárias conseqüências, a história das interligações inextricáveis entre essas conseqüências e esse livro extraordinário – tudo isso teve um começo muito simples.

Começou com uma casa.

PRÓXIMOS LANÇAMENTOS DA SÉRIE

A Vida, o Universo e Tudo Mais

O grito de horror de todas as manhãs era o som de Arthur Dent acordando e se lembrando subitamente de onde se encontrava.

Não se tratava apenas do fato de a caverna ser fria, nem era somente por ser úmida e cheirar mal. Era porque a caverna ficava no meio de Islington e não passaria nenhum ônibus pelos próximos dois milhões de anos.

O tempo é o pior lugar, por assim dizer, para alguém se perder, como Arthur Dent pôde testemunhar, já que havia se perdido muito no tempo e no espaço. Perder-se no espaço pelo menos o mantém ocupado.

Ele estava ilhado na Terra do período pré-histórico em decorrência de uma complexa seqüência de eventos que o envolveu em situações que se alternavam entre ser transportado e insultado em mais regiões bizarras da Galáxia do que jamais havia sonhado existir, e embora a vida tivesse se tornado muito, muito tranqüila agora, ele ainda se sentia nervoso.

Há cinco anos não era transportado.

Como mal tinha visto alguém desde que esteve com Ford Prefect há quatro anos, fazia o mesmo tempo que não era insultado.

Exceto por uma vez.

Aconteceu numa noite de primavera cerca de dois anos antes.

Ele estava voltando para sua caverna, logo após o anoitecer, quando percebeu luzes piscando misteriosamente através das nuvens. Virou-se para observar, com a esperança de repente tomando conta de seu coração. Resgate. Fuga. O sonho impossível do náufrago: uma nave.

Ela pousou delicadamente no chão e qualquer pequeno som que tenha emitido se esvaeceu, como que embalado pela calma da noite.

Surgiu a silhueta de uma pessoa alta na escotilha, que desceu a rampa e parou em frente a Arthur.

– Você é um idiota, Dent – disse, simplesmente.

Era um alienígena típico. Tinha altura característica dos alienígenas, cabeça achatada, olhos rasgados e pequenos de extraterrestre; usava uma extravagante roupa dourada pregueada com uma gola num estilo bem peculiar aos alienígenas; apresentava um tom de pele cinza-esverdeado de extraterrestre com um brilho que a maioria das peles cinza-esverdeadas só adquire com muito exercício e sabonetes caríssimos.

Arthur olhou espantado.

A criatura o encarou.

As sensações iniciais de esperança e agitação foram substituídas instantaneamente pelo espanto, e todo tipo de pensamento disputava suas cordas vocais nesse momento.

– Qu...? – ele disse.

– Ma... o... an... – acrescentou.

– De... e... gue... Quem? – finalmente conseguiu dizer, mergulhando num silêncio ansioso. Ele estava sentindo os efeitos de ter ficado sem dizer nada a ninguém por tanto tempo que não podia se lembrar.

A criatura franziu a testa por um instante e consultou o que parecia ser uma prancheta, que segurava com sua mão delgada de extraterrestre.

– Arthur *Philip* Dent? – insistiu o alienígena, grunhindo.

– É... é... Sim... é... – confirmou Arthur.

– Você é um idiota – repetiu o extraterrestre –, um completo imbecil.

– É...

A criatura balançou a cabeça, fez uma marca típica dos alienígenas na prancheta e virou-se rapidamente em direção à nave.

– É... – disse Arthur desesperado. – É...

A nave decolou, como se desprendesse seu peso feito um manto sobre o solo, e pairou no ar por um instante. Subiu através das nuvens, iluminando-as brevemente, e depois sumiu, deixando Arthur sozinho numa imensidão de terra, numa dança descontrolada.

– Como? – gritou. – Como? Ei, como? Volte aqui e diga isso!

A nave alienígena já zunia nas distâncias mais longínquas da atmosfera, rumo ao temível vácuo que separa as poucas coisas que existem no Universo umas das outras.

Seu ocupante, o extraterrestre de pele tratada, recostou-se no assento individual. Chamava-se Wowbagger, o Infinitamente Longevo, e tinha um objetivo. Podia não ser nenhum grande objetivo, como ele próprio era o primeiro a admitir, mas ao menos era um objetivo e o mantinha em ação.

Wowbagger, o Infinitamente Longevo, era – na verdade, ele é – um dos pouquíssimos seres imortais do Universo.

Wowbagger fechou os olhos numa expressão carrancuda e cansada, colocou um jazz para tocar no som da nave e refletiu que teria conseguido. Não fosse pelas tardes de domingo, certamente teria conseguido.

No final das contas, o que ele não suportava eram as tardes de domingo e aquela languidez horrível que começa às três horas da tarde, quando você sabe que já tomou todos os banhos que podia naquele dia; que, por mais que olhe fixamente para qualquer parágrafo no jornal, nunca vai realmente lê-lo nem usar a nova técnica revolucionária de poda que ele descreve; e você fica olhando para o relógio enquanto suas mãos não param de se mexer até as quatro horas; e aí você entra na longa e sombria hora do chá da alma.

Desse modo, as coisas começaram a perder a graça para ele. Os sorrisos felizes que costumava ostentar nos funerais começaram a desaparecer. Ele passou a desprezar o Universo em geral e todos que nele vivem em particular.

Foi aí que pensou no seu objetivo, aquilo que o motivaria e que, até onde entendia, o motivaria para sempre. Era o seguinte: ele ia insultar o Universo.

Quer dizer, insultaria a todos no Universo. Individualmente, pessoalmente, um a um, e (ele decidiu que teria de se conformar com esta parte) em ordem alfabética.

Enquanto isso, na Terra, começou a chover, e Arthur Dent sentou na caverna e teve uma das noites mais horríveis de toda a sua vida, pensando em coisas que podia ter dito para o alienígena e matando moscas, que também tiveram uma noite terrível.

No dia seguinte fez uma bolsa de pele de coelho, pois achou que seria útil para guardar coisas.

Escureceu cedo aquela noite, algo normal para a época do ano. Fazia frio e ventava, o que era normal.

Começou a chover, o que era especialmente normal.

Uma espaçonave aterrissou, o que não era normal.

Não havia ninguém no local para ver, à exceção de alguns quadrúpedes extremamente burros que não tinham a menor idéia do que fazer com ela; não sabiam se servia para comer ou algo do gênero. E eles agiram como faziam em relação a tudo, que era fugir e tentar se esconder uns embaixo dos outros, o que nunca funcionava.

Ela desceu saindo das nuvens, aparentemente equilibrando-se num único feixe de luz.

De uma certa distância, mal se podia notá-la em meio aos relâmpagos e nuvens carregadas, mas vista de perto era estranhamente bela – uma nave cinzenta de forma elegantemente esculpida: bem pequena.

É claro que nunca se sabe que tamanho ou forma terão os seres das diferentes espécies, mas, se você se baseasse nos resultados do último relatório do Censo Galáctico como uma espécie de guia de médias estatísticas, provavelmente imaginaria que a nave transportava umas seis pessoas, e acertaria.

Provavelmente imaginaria isso, de qualquer modo. O relatório do Censo, como a maioria dos levantamentos, havia custado montanhas de dinheiro, e não disse a ninguém nada que todos já não soubessem – exceto que cada pessoa da Galáxia tinha 2,4 pernas e possuía uma hiena. Uma vez que isso evidentemente não era verdade, todas as outras informações acabaram por ser descartadas.

A nave deslizou em silêncio pela chuva, com luzes fracas envolvendo-a em bonitos arco-íris. Emitiu um zumbido baixinho, que foi ficando gradualmente mais alto e intenso à medida que se aproximou do solo e que a uma altura de 15 centímetros se tornou uma forte vibração.

Finalmente pousou e deixou de fazer barulho.

A escotilha se abriu. Um pequeno lance de escada se desdobrou.

Surgiu uma luz na abertura, uma luz brilhante irradiando na noite úmida, e sombras avançaram.

Uma figura alta apareceu na luz, olhou em volta, hesitou e desceu rapidamente pela escada, carregando uma sacola grande de loja sob o braço.

Virou-se e acenou bruscamente para a nave. A chuva já lhe escorria pelo cabelo.

– Obrigado – gritou –, muito obri...

Foi interrompido por um forte estrondo de trovão. Olhou para cima apreensivo e, em reação a um pensamento, começou rapidamente a remexer a sacola plástica, que descobriu estar furada no fundo.

– Espere! – gritou, acenando para a nave.

Os degraus, que tinham começado a se recolher, pararam e voltaram a se desdobrar, permitindo que ele voltasse para dentro.

Surgiu novamente, alguns segundos depois, carregando uma toalha puída e desbotada que enfiou na sacola.

Acenou de novo, colocou a sacola debaixo do braço e começou a correr para se abrigar sob umas árvores. Atrás dele, a espaçonave já começara a decolar.

Relâmpagos serpenteavam no céu e fizeram-no parar por um momento. A seguir, correu por outro caminho para evitar as árvores. Deslocou-se rapidamente, escorregando aqui e ali, lançando-se contra a chuva que agora caía numa concentração cada vez maior, como se fosse arrancada do céu.

Seus pés se arrastavam na lama. Os trovões faziam estrondo além das montanhas. Inutilmente, limpou a chuva do rosto e se deteve.

Mais luzes.

Dessa vez não se tratava de relâmpagos, e sim de luzes mais fracas e difusas que brincavam lentamente sobre o horizonte e desapareciam.

Deixou de vê-las mais uma vez e acelerou o passo, rumando para o ponto em que elas tinham aparecido no horizonte.

Agora o terreno estava se tornando mais íngreme e, uns 250 metros mais adiante, apresentou um obstáculo. Ele parou para analisar a barreira e, em seguida, pousou a sacola que carregava em cima dela e começou a escalar sobre si mesmo.

Mal tocara o chão do outro lado quando uma máquina veio ao seu encontro, com suas luzes atravessando a parede de água da chuva. Recuou ao perceber a máquina avançando velozmente em sua direção. Tinha a forma de bulbo, como uma pequena baleia surfando – lustrosa, cinza e arredondada, movendo-se a uma velocidade aterradora.

Instintivamente ergueu as mãos para se proteger; contudo, foi atingido apenas por um jato d'água quando a máquina passou em grande velocidade entrando na escuridão.

A máquina foi iluminada brevemente por relâmpagos que reluziram no céu, o que permitiu que a figura ensopada à beira da estrada tivesse algumas frações de segundo para ler uma pequena placa na traseira da máquina antes que ela desaparecesse.

Para seu aparente espanto, leu, incrédulo: MEU OUTRO CARRO TAMBÉM É UM PORSCHE.

CONHEÇA OS 25 CLÁSSICOS DA SEXTANTE

- *Muitas vidas, muitos mestres, Só o amor é real* e *Meditando com Brian Weiss*, de Brian Weiss
- *Conversando com os espíritos* e *Em busca da espiritualidade*, de James Van Praagh
- *A última grande lição*, de Mitch Albom
- *Enquanto o amor não vem*, de Iyanla Vanzant
- *A oração de São Francisco*, de Leonardo Boff
- O *ócio criativo*, de Domenico De Masi
- *Mantenha o seu cérebro vivo*, de Lawrence C. Katz e Manning Rubin
- *Por que os homens fazem sexo e as mulheres fazem amor?*, de Allan e Barbara Pease
- *Uma ética para o novo milênio* e *Palavras de sabedoria*, do Dalai-Lama
- *Histórias para aquecer o coração*, de Mark Victor Hansen e Jack Canfield
- *Os 100 segredos das pessoas felizes* e *Os 100 segredos das pessoas de sucesso*, de David Niven
- *Aprendendo a gostar de si mesmo*, de Louise Hay
- *Um dia "daqueles"*, *Querida mamãe* e O *sentido da vida*, de Bradley Trevor Greive
- *Você é insubstituível* e *Dez leis para ser feliz*, de Augusto Cury
- *A vida é bela*, de Dominique Glocheux
- *Faça o que tem de ser feito*, de Bob Nelson
- *Não leve a vida tão a sério*, de Hugh Prather

Informações sobre os Próximos Lançamentos

Para receber informações sobre os próximos lançamentos da Editora Sextante, queira entrar em contato com nossa Central de Atendimento, dando seu nome, endereço e telefone para:

Editora Sextante
Rua Voluntários da Pátria, 45 – Gr.1.404 – Botafogo
22270-000 – Rio de Janeiro – RJ
Tel.: (21) 2286-9944 – Fax: (21) 2286-9244
DDG: 0800-22-6306 (ligação gratuita)
E-mail: atendimento@esextante.com.br

Para saber mais sobre nossos títulos e autores, e enviar seus comentários sobre este livro, visite o nosso site: www.sextante.com.br